D1094252

DU MÊME AUTEUR

Biographies

MONSIEUR DASSAULT, Balland, 1983

GASTON GALLIMARD, Balland, 1984, et « Points » Seuil

UNE ÉMINENCE GRISE, JEAN JARDIN, Balland, 1986, et « Folio »

L'HOMME DE L'ART, D. H. KAHNWEILER, Balland, 1987, et « Folio »

ALBERT LONDRES, VIE ET MORT D'UN GRAND REPORTER, Balland, 1989, et « Folio »

SIMENON, Julliard, 1992, et « Folio »

HERGÉ, Plon, 1996, et « Folio »

LE DERNIER DES CAMONDO, Gallimard, 1997, et « Folio »

CARTIER-BRESSON, l'ŒIL DU SIÈCLE, Plon, 1999, et « Folio »

Récit

LE FLEUVE COMBELLE, Calmann-Lévy, 1997

Roman

LA CLIENTE, Gallimard, 1998, et « Folio »

Entretiens

LE FLÂNEUR DE LA RIVE GAUCHE, avec Antoine Blondin, François Bourin, 1988

SINGULIÈREMENT LIBRE, avec Raoul Girardet, Perrin, 1990

Enquêtes

DE NOS ENVOYÉS SPÉCIAUX, avec Philippe Dampenon, J.-C. Simoën, 1977

LOURDES, HISTOIRES D'EAU, Alain Moreau, 1980

LES NOUVEAUX CONVERTIS, Albin Michel, 1982, et « Folio Actuel »

L'ÉPURATION DES INTELLECTUELS, Complexe, 1980 ; rééd. augmentée, 1990

GERMINAL, L'AVENTURE D'UN FILM, Fayard, 1993

DOUBLE VIE

PIERRE ASSOULINE

DOUBLE VIE

roman

GALLIMARD

To Angela of course, twenty years later.

«Everyone knows. The world knows. It knows. But they'll never know, they're in a different world.»

Harold Pinter, *Betrayal*

« Nous vivons auprès d'êtres que nous croyons connaître : il manque l'événement qui les fera apparaître tout à coup autres que nous les savons »

Marcel Proust, 1913

1

À peine eut-il pénétré dans le souterrain qu'il se sentit dans sa bulle. Soudain il respirait, là où d'ordinaire tant d'autres étouffent, à croire qu'il ne souffrait de claustrophobie qu'au grand air. Au rez-de-chaussée il se sentait déjà pris de vertige. Rien ne lui donnait de l'assurance comme de se soustraire à la lumière du grand jour. Il s'épanouissait dans les entrailles de la ville mieux que nulle part ailleurs. Non pas hors du monde, mais hors de vue. Échapper aux regards, se dérober aux jugements, s'absenter de la société, c'était cela qui, par moments, lui importait plus que tout.

À l'instant de franchir la guérite du gardien du parking, il força le pas, regarda droit devant lui et adopta la même allure déterminée qu'au passage d'une douane. L'indécision peut y être fatale. Elle n'échappe pas aux scrutateurs. Un signe suffit à trahir le doute, on est hélé et c'est le début d'un engrenage.

Le gardien n'eut pas le temps de réagir. Anesthésié par la routine de la télésurveillance, il ne put que retourner la tête et se lever de son siège ; il se pencha sur le passage de la silhouette quand elle était déjà loin, absorbée par la pénombre. Tout avait été si furtif.

Troisième sous-sol. L'endroit semblait désert. Qui aurait bien pu éprouver l'impérieuse nécessité de s'aventurer dans les viscères de la ville en plein milieu de l'après-midi ?

Les murs étaient ornés de tags plus étranges les uns que les autres. De toute évidence, le fresquiste avait une dilection pour les bustes arrondis et les orifices moelleux. Ses personnages n'étaient que seins et lèvres. La faiblesse de l'éclairage en accentuait le caractère parfois monstrueux. La sarabande prenait des allures de bacchanale. Des haut-parleurs d'un autre âge laissaient s'échapper des sons dont la réunion devait constituer une sonate pour piano. La bouillie était telle qu'on eût été en peine de l'attribuer avec certitude. Quel qu'il fût, le compositeur survivait malgré tout à cet outrage, ce qui témoignait de sa capacité de résistance, lui qui avait déjà dû subir tant d'assauts dans les ascenseurs et les supermarchés.

Une esquisse l'intrigua juste assez pour le détourner. Il s'approcha tout près, caressa la rugosité du mur du revers de la main, y colla son pavillon un instant puis reprit son chemin, un léger sourire aux lèvres. À croire qu'il venait de capter secrètement la rumeur du monde et que cela suffisait à son bonheur.

32, 34, 36... Suivre les marques jaunes au sol. Au fond à gauche, derrière le troisième pilier, c'était là. Une automobile grise stationnait à l'écart dans un halo. Il s'y engouffra sans hésiter par la porte du passager.

Elle l'attendait, sagement assise derrière le volant. Leurs bouches se rejoignirent à l'intersection des deux sièges selon un rituel tacitement établi depuis qu'ils se retrouvaient dans la clandestinité. Mais, en deux ans, ils avaient appris à le bousculer à tour de rôle, afin que jamais l'habitude n'entamât la passion.

Ils échangèrent un long baiser, si imaginatif qu'il pouvait à lui seul dresser l'inventaire de tout ce qui peut advenir de poétique et de prosaïque entre deux êtres soumis à leur seul instinct, de l'effleurement à la morsure, de la tendresse à la sauvagerie. Toutes les figures de l'amour s'inscrivaient dans cette étreinte : elle avait la mémoire de celles qui l'avaient précédée. Ils s'étaient mangés, bus et lapés. Quand leurs bouches se déprirent enfin, ils n'étaient plus qu'un seul et même souffle.

Anticipant sur son premier mot, elle posa son doigt à la verticale sur ses lèvres et, dans un sourire de connivence, l'entraîna hors de sa voiture. Après qu'ils eurent tout doucement refermé les portes et fait les premiers pas sur la pointe des pieds, comme si l'extrême discrétion leur était devenue une seconde nature, elle le prit par la main et l'engagea à sa suite dans une des rares stalles encore vides. À l'ardeur qu'elle y mettait, il comprit que ce jour-là, pour une fois, elle dirigerait les opérations, du moins dans un premier temps. Alors une sensation inédite l'envahit, la douce volupté de se laisser mener et emmener par celle qui le traiterait à l'égal d'un objet. En s'abandonnant sous la douce pression de ses doigts, il n'était déjà plus qu'un corps sans âme.

L'endroit était humide et gris. Il en aurait fallu peu pour qu'il parût sordide. Ça l'était juste assez pour ajouter à leur excitation. Certains parkings peuvent être aussi borgnes que des hôtels. Un rai de lumière, provenant d'un des plafonniers de l'allée centrale, formait une diagonale au mur, à l'entrée du box. Il n'était pas question de descendre le lourd rideau de fer, ils se seraient retrouvés enfermés. Elle s'appuya le dos au mur, exactement au point où le halo venait mourir, de manière à réagir à temps au cas où quelqu'un viendrait. Avant même qu'il pût l'enlacer, elle lui glissa entre les bras tout en lui tournant le dos, avec cette grâce aérienne qui n'appartient qu'aux danseuses, puis posa ses mains contre la paroi, un peu au-dessus de sa tête, et se cambra tandis qu'il s'agenouillait.

Depuis tant de mois qu'ils s'exploraient, pas un grain de leur peau n'avait échappé à la caresse du bout de la langue. Leurs corps s'étaient faits continents. Du nord au sud et d'est en ouest, ils en avaient investi plis et replis, ourlets et cavités. Le moindre sillon portait l'empreinte d'un souvenir. La chair déclinait leur véritable identité. Ils se reconnaissaient à leur odeur, se retrouvaient en se flairant. Tout avait valeur d'indice. Sueur, salive, sang. Parfois un méli-mélo de sécrétions, parfois le lait et les larmes. Des fusées dans la nuit pour ceux qui savent les voir, messages invisibles à ceux qui ne sauront jamais les lire. Si les humeurs du corps n'avaient plus de secret, la mécanique des fluides conservait son mystère. Mais cette imprégnation mutuelle allait bien au-delà depuis qu'ils s'étaient raconté leurs rêves. Tant qu'on ne connaît pas intimement les fantasmes de l'autre, on ne sait rien de lui. C'est comme si on ne l'avait jamais pénétré.

Il savait exactement ce qu'elle désirait en cet instant précis. Se prendre avant de s'entreprendre. Un geste juste, qui serait juste un geste, pouvait apparaître comme une grâce, même dans de telles circonstances, car leur silence chargeait de paroles le moindre de leurs mouvements. Elle n'avait rien à dire. Demander aurait tout gâché, répondre tout autant. Ils pouvaient juste surenchérir par la crudité de leur langage, un lexique de l'intimité dont les prolongements tactiles étaient infinis, le plus indéchiffrable de tous les codes en vigueur dans la clandestinité.

Tandis qu'elle ondulait encore tout en s'arc-boutant un peu plus, il lui déboutonna son jean, le baissa d'un geste sec, fit glisser son slip, se saisit de chacune de ses fesses comme s'il se fût agi de deux fruits mûrs, les écarta avec fermeté dans le fol espoir de les scinder, songeant qu'il n'était rien au monde de mieux partagé que ce cul qui, pour relever du haut et non du bas du corps, était marqué du sceau de la grâce absolue. Puis il rapprocha ses doigts du sexe, écarta ses béances, sortit son membre et la prit si brutalement que sa tête faillit heurter le mur contre lequel elle s'appuyait. Ses mains ne quittaient plus ses hanches que pour mouler ses seins. Le corps à corps dura. Là où ils étaient, là où ils en étaient, le temps se trouvait aboli. Toute à son ivresse, elle ne songeait même plus à étouffer ses cris. Fébrilement, au plus fort de leur bataille, il tenta de la bâillonner de ses doigts. Après un spasme, elle le mordit au sang. Il se retira tout doucement et s'agenouilla à nouveau alors qu'elle se cambrait plus encore. De la pointe de la langue, il effleura délicatement son territoire à la frontière des deux mondes, là où nul autre avant lui ne s'était jamais aventuré, avant de s'attarder vigoureusement sur son *rosebud*. Un instant, il crut qu'elle enfoncerait ses ongles dans le granit de la paroi. Sa gorge était pleine des cris et des soupirs réprimés. Elle se retourna enfin et le branla sans cesser de le fixer des yeux. Toute l'intensité de leur lien s'était réfugiée dans la puissance muette du regard. Quand elle le sentit à bout de résistance, elle fit un pas de côté et dirigea le jet vers le mur.

Abandonnant cette étincelle à son destin de stalactique, ils commencèrent à s'inquiéter de l'arrivée du propriétaire du box, ou de la ronde du gardien. À croire qu'il leur avait d'abord fallu se délivrer dans l'insouciance de ce qu'il y avait en eux de plus impérieux, avant de renouer avec l'inquiétude. Un coup d'œil dans le corridor, et ils le traversèrent comme s'il s'était agi d'une mer de glace, à pas comptés, sur la pointe des pieds, puis à grandes enjambées, dans la précipitation, au fur et à mesure que le but approchait. Elle d'abord, lui ensuite.

La voiture était vraiment leur territoire, le lieu géométrique de toutes les transgressions. Un lieu privé en public, ouvert et clos à la fois, où ils avaient l'habitude de s'exhiber en cachette. Chacun y reprit naturellement sa place. Il se tourna pour bavarder comme ils aimaient à le faire, s'abandonnant aux délices de la futilité et de la médisance avec d'autant plus de cruauté que l'exercice était gratuit et sans danger. Rien ne transpirerait de leur conversation en sous-sol. Pour être allés déjà loin en confidences, ils ne pouvaient que se sentir en confiance. Scellés plutôt que liés. Il était le reste d'elle, et elle le reste de lui. Inutile d'être dénudé pour être à nu. Avec nul autre ils ne s'autorisaient ainsi à se démasquer. Tout dire à qui peut tout entendre : on ne renonce pas sans raison profonde à une telle liberté. Au-delà d'une frénésie sexuelle sans entrave, d'un bonheur sensuel sans égal, d'une connivence intellectuelle sans pareille, et même au-delà de ce rire qui emmène plus loin que le désir partagé, cette liberté était le sel de leur vie.

Mais à son attitude immobile, à son regard fixe soudain si vert et si songeur, au geste qu'elle eut lorsqu'elle se cala sur l'appui-tête, à la belle ride frontale suscitée par son froncement de sourcils, il comprit que l'apaisement d'après l'amour n'était déjà plus qu'un souvenir.

Il voulait savoir, dis-le-moi, quelque chose ne va pas. Mue par un réflexe, elle leva la main et secoua la tête, non, tu n'y es pas, tu n'y es pour rien, ce n'est rien. Il en fallait plus pour le faire renoncer, le mystère dût-il dissimuler le néant, tu ne me dis pas tout. Elle s'enfouit le visage dans les mains puis les écarta brusquement, écoute, mon cœur, écoute. À l'inflexion de sa voix, il crut qu'elle allait lui annoncer ce qu'il redoutait depuis qu'elle partageait sa vie secrète, on nous a vus l'autre jour, ça s'est su, je lui ai tout dit, je n'en pouvais plus, il fallait que ça sorte. Mais non, ce n'était pas du tout cela, pas déjà, pas encore. Elle reprit son souffle, écoute-moi...

Je ne t'en ai pas parlé mais depuis quelque temps, je traite un patient un peu plus étrange que les autres. Il m'a été envoyé par un confrère. La première fois qu'il est venu au cabinet, je l'ai plus regardé qu'entendu. Sa force d'attraction. Sa silhouette. Une élégance naturelle. Et derrière tout ça, l'annonce d'une violence intense. Après, seulement, j'ai commencé à l'écouter. Sa voix. Ce grain unique. Une densité. À la troisième séance, ça a commencé à me préoccuper. Ni séduite, ni envoûtée, rien de cela. Il me mettait mal à l'aise, c'est tout. J'en suis venue à ne plus supporter le regard qu'il pose sur moi. Et ces questions personnelles qu'il lance à brûle-pourpoint alors que c'est à moi de le faire. Cette indiscrétion me déstabilise. Au fur et à mesure, il libère son langage. Même quand il parle de lui, il en profite pour parler de moi. Il arrive toujours à me glisser dans les interstices. Je la sens mal, cette histoire. Ce type est malsain. Tu comprends, la tension augmente, ça augmente à chaque rencontre. Il faut que je trouve le moyen de m'en débarrasser en l'adressant à un confrère sans perdre la face. Sans qu'on dise que je n'ai pas été à la hauteur. Dans une heure, il sera à mon cabinet. Je le recevrai mais pour la dernière fois. D'autant qu'il veut se faire accompagner de son amie. Il lui a donné rendez-vous dans la salle d'attente. Personne n'est au courant, il n'y a que toi, pour ça comme pour le reste il n'y a toujours que toi. J'ai peur, tu comprends ?

Elle parla longtemps encore. Nul n'est plus prolixe en détails que l'assermenté lié par le secret professionnel à l'instant où il s'en délivre d'autorité. Son récit fut interrompu par un bruit de pas. Ils firent silence et se retournèrent. Le bruit se rapprocha. L'ombre d'une silhouette se découpa sur le sol. Elle s'arrêta non loin de leur voiture, et fit demi-tour. La ronde du gardien, probablement. Avait-il perçu quelque chose d'anormal ? Certainement non. Mais alors pourquoi avait-il marqué une pause juste à cet endroit ?

Il la prit dans ses bras et lui caressa le visage tandis qu'elle se blottissait contre sa poitrine. Exaspéré par l'écho assourdi de la musique d'ambiance, il fouilla dans la boîte à gants. Au milieu de dizaines de disques, des enregistrements récents de sonates pour piano. Ça n'avait l'air de rien, lui seul pouvait comprendre, il goûtait avec délectation ce qu'il tenait secrètement pour sa vengeance personnelle contre la corruption de la société.

Deux minutes ne s'étaient pas écoulées qu'elle entreprenait déjà de déboucler son ceinturon, tu es le seul avec qui j'ai fait ça dans une voiture, c'est toi qui m'a appris ça, j'adore, j'adore, tant pis si je suis en retard, j'en ai besoin, plus que jamais, ça m'apaisera. Tandis qu'elle le suçait, il dégrafa son pantalon, glissa sa main sous le slip et la caressa des fesses aux cuisses avec la douceur de l'effleurement. En quelques secondes, malgré le levier de vitesse et la douleur provoquée par les attaches des ceintures de sécurité, il s'abandonna et se laissa envahir. Un flot d'images lui traversa l'esprit plus bizarrement encore qu'à l'issue d'un rêve. Par une curieuse association d'idées, il eut le sentiment d'avoir effectué à son corps défendant la synthèse historique des gorges profondes, celle du film X et celle du parking du Watergate, le mystère d'une performance sportive et l'énigme d'une révélation anonyme. À la fin, il n'en restait plus que l'essentiel, l'incertaine rencontre d'une bouche et d'une voix.

Plus inquiet qu'elle, il regardait de temps à autre dans le rétroviseur ou atténuait la puissance des haut-parleurs. Derrière le volant, le clignotement irrégulier d'un voyant rouge l'intriguait tout autant que des vis qu'on avait enfoncées pour installer l'autoradio. L'état du tableau de bord en témoignait, le travail avait été fait par un amateur, à la hâte, au risque de perforer le câblage et de provoquer un court-circuit. Mais la moindre remarque, la plus insigne question eussent été incongrues en la circonstance. Cela eût révélé une distraction coupable, une désinvolture des plus mufles.

Elle était trop absorbée par l'assouvissement de son plaisir pour redouter une visite inopportune. Rien n'aurait pu mieux lui confirmer qu'on réalise pleinement, dans l'illégalité, ce qu'on n'oserait même pas envisager dans la légalité. Le territoire des amants ne serait jamais celui des époux. Aux uns l'imagination débridée, les expériences les plus folles, la transgression des interdits. Aux autres tout le reste. Il ne boudait pas l'intensité du moment ; cela ne l'empêchait pas de s'interroger sur cette femme qu'il croyait connaître mais pas au point de comprendre l'excitation que pouvait susciter en elle, en dépit de l'inconfort, la pratique immodérée de la fellation automobile. Quoi de plus opaque que le désir de l'autre ?

D'une main, il caressait ses mèches blondes, de l'autre il explorait la caverne à pulsations où son sexe avait été si souvent piégé. Sa pente naturelle l'inclinait en toutes choses à mêler douceur et brutalité. À l'écoute de ses harmonies secrètes, il agissait d'instinct, sans jamais calculer l'effet de ses gestes. Rien n'avait moins partie liée avec la technique, quoi qu'en eût dit ce moraliste joyeusement désespéré pour qui la vocation d'un amant est de commencer en poète et de finir en gynécologue. Soudain, elle releva la tête pour mieux se consacrer à sa propre jouissance et laisser s'échapper un cri puis un second tout en tendant d'un coup sec ses jambes vers le tableau de bord. Elle murmura quelques mots évoquant avec tendresse le sentiment océanique, notion qui lui était chère entre toutes. Puis elle abandonna les vertigineuses perspectives de l'infini pour repartir en apnée.

C'est alors que le ciel leur tomba sur la tête.

D'abord un bruit infernal, double détonation qui leur fit aussitôt porter les mains aux oreilles comme pour mieux empêcher leur tête de voler en éclats ou pour retenir les morceaux tant bien que mal. Puis une vive douleur, consécutive à une secousse d'une violence d'autant plus effrayante qu'elle est indiscernable dans l'instant. Enfin la peur, l'horreur de l'inconnu qui vous cerne, vous submerge et s'apprête à vous engloutir, ne vous laissant d'autre issue que la fuite éperdue sur une mer de glace avec comme unique repère un point noir à l'horizon qui s'éloigne au fur et à mesure que l'on s'en rapproche. Ils étaient dans l'état de choc d'automobilistes qui auraient eu un grave accident au point mort sur une route déserte.

Allumage électrostatique ? Dysfonctionnement des systèmes électriques? Défaut d'isolation? Erreur de fabrication? Orgasme du véhicule tout entier? Il serait toujours temps de comprendre l'intimité d'un mécanisme à l'instant où il perd la tête et court droit à la catastrophe. Ils avaient dû heurter une commande au plus fort de leur lutte, ce qui avait entraîné une réaction en cascade aboutissant à un événement exceptionnel : le déclenchement inopiné des airbags.

Le tableau de bord avait eu une bouffée délirante. Une expérience dont ils auraient bien fait l'économie. Ils la devaient probablement à l'ancienneté du modèle, conçu en un temps où les puces étaient moins intelligentes.

Bien qu'elle occupât le siège du conducteur, elle n'avait pas eu à en subir directement les effets, étant allongée en travers des deux sièges avant. En bondissant du volant, le coussin était passé au-dessus d'elle. Ses goûts l'avaient mise à l'abri d'un danger d'autant plus sournois qu'il opère par surprise et se présente sous les traits d'un sauveur.

Il ne pouvait pas en dire autant. Tout lui était arrivé

de plein fouet, comme s'il avait percuté un mur en courant. Sauf que cent soixante-dix litres d'azote lui avaient sauté au visage en vingt-six millièmes de seconde.

Il grimaçait en se tenant le coude droit, et plus encore en considérant l'état de son sexe. La violence de l'événement avait provoqué en elle une réaction maxillaire aux effets dévastateurs. C'était peu dire qu'elle l'avait mordu. Il était convaincu qu'elle l'avait tranché. Force était de reconnaître que le membre était saigné à vif, d'une manière si régulière dans la circularité qu'un stomatologiste eût pu y relever des empreintes. Ce n'était pas des traces mais des preuves. Elle ne voulut pas y croire. Son premier réflexe fut de dédramatiser l'accident en invoquant un addenda à sa circoncision. Mais quand il l'invita à constater les dégâts, elle ne put s'empêcher de partir dans un éclat de rire inextinguible. Plus il souffrait, plus elle essayait de se contenir, et plus elle riait. Ce devait être l'effet secondaire le plus inattendu de cette explosion azoteuse, une propriété inconnue du gaz hilarant, les équipementiers avaient dû se pencher sur la question.

Ça va aller ? Tu es sûr ? Je dois partir, je vais être en retard et ce n'est vraiment pas le jour. Elle s'était empressée de tout dire d'une traite entre deux hoquets étouffés avant de se laisser à nouveau gagner par le comique de la situation. Un rire nerveux, certainement. De ces spasmes qui révèlent autant de gaieté que de désarroi, peut-être. Une réaction de défense bien dans sa manière, qui trahissait son impulsivité, de toute évidence. Sauf que, cette fois, il n'appréciait pas.

Quand se revoit-on ? Impossible lundi, plutôt mardi, déjeunons du côté de Montsouris, ça m'arrange, j'ai un rendez-vous juste après dans le quartier, tu te rappelles ce petit restaurant que tu m'as fait découvrir, et la patronne qui nous avait imposé les plats en fonction de ses propres goûts, alors treize heures vingt comme d'habitude, tu n'oublieras pas, note-le, j'aime autant…

Il fouilla sa veste en vain. Elle trouva au fond de son sac un stylo publicitaire pour une marque de chocolats, avec lequel il inscrivit un signe cabalistique suivi de la mention entre parenthèses « M°° T. » à la page du mardi de son agenda, qu'il empocha machinalement. Juste avant qu'il n'ouvre la portière, elle s'excusa de ses manifestations hystériques, intempestives en la circonstance; puis elle l'assura que son alliance, ainsi qu'elle aimait nommer le pacte avec Dieu matérialisé par la circoncision, survivrait à l'accident. Elle composa alors un numéro d'urgence sur son portable. Il était plus prudent qu'elle attende seule la camionnette du dépannage.

Il s'exfiltra de la voiture à grand-peine. Une fois qu'il se fut redressé, un nœud de douleur le fit se recroqueviller d'instinct et plonger sa main droite dans la poche afin de se masser le pénis, sinon de le tenir de crainte qu'il ne tombât.

À l'instant de le quitter, elle se pencha légèrement sur le siège, comme d'habitude, et ne réprima son rire que pour lui dire en un merveilleux sourire ce qu'elle lui disait toujours dans ces moments-là, ne claque pas la portière, mon cœur, c'est comme si tu me donnais une claque et je ne veux que tes caresses. Alors qu'elle prononçait ces mots désormais rituels, son visage se détachait parfaitement dans l'encadrement de la fenêtre baissée tandis qu'une autre image s'y superposait, elle, toujours elle, toute de blondeur ébouriffée, se retournant dans les draps froissés et maculés de toutes leurs étreintes, murmurant dans un demi-sommeil ne claque pas la porte, mon cœur, je t'en prie. Alors il tendit le bras, effleura silencieusement son cou durant de longues minutes tandis qu'elle fermait les yeux, et par ses doigts seuls tout était dit.

Le corridor du parking commençait à tanguer. La musique de fond, atrocement grésillante mais curieusement ralentie, semblait de plus en grave. Par endroits, l'éclairage zénithal sombrait en léthargie. Tout était de plus en plus lugubre et vacillant. Parfois, il s'appuyait contre une paroi, comme les vieux dans le métro. Il reprenait sa route mais marquait aussitôt une pause pour retrouver son souffle.

Jamais le souterrain ne lui était apparu si interminable. On peut s'y perdre quand on cherche sa voiture, mais on peut y perdre la raison quand on ne trouve pas la sortie. Où était la bonne porte ? Elles étaient toutes fermées. À l'entrée d'une grotte, il y a la lumière.

En passant devant le mur aux tags, il comprit qu'il touchait enfin au but. Les dessins l'inquiétèrent plus encore qu'à son arrivée. Il s'en approcha pour les toucher. Les ébauches si modernes de femmes lippues et mamelues semblaient s'être effacées pour laisser la place à des vénus callipyges venues du fond des âges. Ce palimpseste de formes le bouleversait d'autant plus que le lieu ne s'y prêtait pas. À croire que les artistes urbains avaient voulu lacérer l'obscurité. Il se frotta les yeux avec la dernière énergie, cela suffirait à chasser les hallucinations. Des gouttes perlaient à son front. Une étrange sensation l'envahit, comme si la vie quittait son corps à reculons. Un indescriptible chaos l'envahissait. La musique devenait folle, le piano avait des accents de cithare. Quand il n'était pas l'étranger perdu dans le labyrinthe d'une grotte préhistorique, il se croyait le troisième homme d'un souterrain viennois. Cet endroit hanté resterait comme le lieu d'un désastre intime. Une débâcle plus difficile à vivre encore qu'un fiasco.

La sortie enfin. Cette fois, il ne put échapper au gardien. Assis derrière un bureau, protégé par une vitre épaisse, cerné par des écrans de télévision, celui-ci écoutait les doléances d'un automobiliste, lequel bloquait le passage.

Quand il le vit s'impatienter, recroquevillé et grimaçant, le cerbère le fixa longuement du regard. Intrigué, il abandonna le fâcheux à sa longue plainte, lança un coup d'œil panoramique à son mur d'écrans et s'empressa de noter quelque chose sur un papier. Quand il releva les yeux, il n'y avait plus personne. Il se précipita à la porte dans une vaine tentative de retenir une ombre, mais la silhouette s'était évanouie.

À l'extérieur, l'autre vie l'attendait. On ne demeure pas hors du monde impunément. Ces instants d'éternité avaient été volés. D'une manière ou d'une autre, il allait falloir les rendre, ou les payer au prix fort. Le jeu de société allait reprendre.

D'abord masquer la souffrance et ne pas tituber. Garder bonne figure. Trop de monde partout. Hors de question de héler un taxi, il faudrait se battre. Jamais il n'avait eu aussi peu le goût de son époque. Il voulait fuir l'embouteillage alors que l'embouteillage était en lui.

Il s'engouffra dans le métro. Encore cinq stations avant la correspondance. Les gens avaient des têtes de fin de semaine. Un inventaire des solitudes. Certains portaient leur jardin secret sur le visage, l'expression d'un désarroi détectable par les seuls initiés. Ils appartenaient à la seule vraie société occulte, la compagnie des mélancoliques. Les chefs d'entreprise devaient savoir pourquoi toute une partie du personnel quittait les bureaux si tard le vendredi soir et y retournait si tôt le lundi matin. Il y aurait toujours deux catégories : ceux qui guettent toute la semaine l'ouverture de la parenthèse et ceux qui ont hâte de la refermer. L'impatience des uns, la fébrilité des autres.

Encore des couloirs, un vrai cauchemar de prostatique. Il avait inscrit la RATP au tableau de déshonneur du service public du jour où il avait constaté qu'elle charriait des millions de gens à qui elle interdisait de se vider. Mais il lui en aurait fallu plus pour le faire renoncer au souterrain, la plus parfaite expression de son monde intérieur et le lieu géométrique de l'amour quand il est hors la loi.

Plus que six stations. Enfin une place assise. Il regardait les regards et y trouvait le reflet de sa souffrance. Ses traits marqués. Sa silhouette anormalement tassée pour un homme d'une quarantaine d'années. Ses gestes empruntés et ses tentatives maladroites pour masser son sexe douloureux avec toute la délicatesse requise sans que cela choquât. Sa gêne.

Personne à qui raconter sa situation. Non qu'il n'eût pas d'amis, tout au contraire, mais le seul être à qui il aurait pu confier son secret était justement l'objet de son secret, c'était elle, même si les vraies révélations ne se font qu'aux inconnus, êtres de passage à qui l'on peut tout dire car on est sûr de ne jamais les revoir. Quant aux autres, l'entourage, il faudrait encore mentir, inventer, travestir. La vérité était tellement absurde. La chronique des faits divers en avait vu d'autres. Après tout, il y avait bien eu des accidents de sanisette, certains même mortels. Mais comment expliquer qu'il s'était fait cisailler le sexe au fond d'un parking, à la suite d'un déclenchement d'airbag dans une voiture en stationnement, lui dont chacun savait qu'il n'utilisait la sienne que pour emmener sa famille à la campagne ?

Il aurait tant voulu se retrancher du monde. Être ailleurs, ne fût-ce que pour se rassembler. De toute façon, de quelque manière qu'il la considérât, sa vie avait toujours été un éloge de la fugue. Tant mieux si la société ne distinguait pas la dimension du sauve-qui-peut dans sa réussite, alors que cette échappée désespérée en était justement la clé. De sa fuite en avant, on retenait qu'il allait toujours de l'avant et on l'en félicitait. Moins que jamais, les malentendus ne devaient être dissipés, puisqu'on ne sort de l'ambiguïté qu'à son détriment.

La rue était plongée dans la pénombre. La confiance lui revenait au fur et à mesure qu'il se rapprochait de son territoire. Pour autant, les douleurs n'avaient pas disparu. Il était là sans être là, dans un étrange état de flottement. Une partie de lui gisait encore sous les dérisoires décombres de son accident virtuel. Qui pourrait jamais se sentir héroïque d'avoir survécu à des coussins flasques ?

Quoiqu'il fût d'ordinaire un homme d'escaliers, il jugea prudent de s'élever jusqu'à son domicile comme le commun des copropriétaires. Son ascension de l'immeuble par la voie mécanique lui eût été plus éprouvante que par tout autre moyen. Chaque étage figurait une station. Dès la deuxième, il fut pris d'un malaise inconnu. Quelque chose agaçait ses tympans. Du bruit qui aurait eu la folle ambition de former des sons. Le phénomène allait crescendo au fur et à mesure de son soulèvement. Au cinquième, les sons avaient l'insigne prétention de se reconstituer clandestinement avec la témérité d'une ligue dissoute. Plus il se rapprochait du but, plus il se sentait rattrapé. À croire que le choc l'avait rejoint en catastrophe.

Il habitait au septième étage. À Londres, il aurait pu assouvir son vieux rêve et vivre enfin dans une cave, du moins au sous-sol, sans choquer quiconque. Quand il fut enfin rendu chez lui, il avait le cortex en sonate. Peut-être s'était-il trompé d'immeuble, ils se ressemblaient tous dans ces quartiers bourgeois, auquel cas il souffrirait d'un mal très parisien, dit syndrome du baron, une affection haussmannienne aux conséquences insoupçonnées. Il oublia de sortir ses clés et sonna. À l'égal d'un étranger.

Quand la porte s'ouvrit, il hésita avant de franchir le seuil tant il avait conscience d'abandonner le sous-sol pour les hauteurs, l'univers des ténèbres pour le monde des halogènes, le noir pour le blanc. Il se scindait en deux, l'un congédiant l'autre, en attendant de se ressouder. Fouler un paillasson, ça n'a l'air de rien, mais on peut y laisser son âme.

« Chéri !.. »

À l'inflexion de sa voix, il comprit dans l'instant que sa femme allait lui faire grief de son retard. Il devait offrir une image assez pitoyable pour qu'elle y renonçât aussitôt, ce qui dut lui en coûter car le reproche était son mode d'expression naturel. Recroquevillé, décoiffé et débraillé en dépit de ses efforts pour faire bonne figure, il appuya ses mains sur ses oreilles et ferma les yeux.

« Mais qu'est-ce qui se passe ?

— Rien de grave... je ne sais pas... cette musique entêtante... un je ne sais quoi... c'est presque beau... on dirait... »

Elle se retourna, plaça les mains en porte-voix et lança à la cantonade :

« Les enfants ! Ce soir papa a mal à la tête ! »

À n'en plus douter, il était rendu.

2

« Rémi ? reste avec nous... »

Son corps était là mais son esprit déjà loin, si loin. Elle l'avait remarqué, elle notait tout. Rien ne lui échappait, sinon son mari. Elle avait le don de la synthèse, pas celui de l'analyse. L'esprit de géométrie ayant définitivement vaincu l'esprit de finesse, elle ignorait les interstices où se réfugie l'essentiel des vies parallèles. Marie tenait l'art de la nuance pour une rhétorique de talmudiste, et encore était-elle polie.

Comme presque tous les soirs quand ils n'étaient pas de sortie, les Laredo dînaient en famille dans la cuisine, partageant la conversation, ou ce qui en tenait lieu. Mais comment échapper à une juxtaposition de monologues quand chacun ne vibre que pour son sujet préféré, parlez-moi de moi il n'y a que cela qui m'intéresse. Chacun disait sa journée, sauf celui qui ne pouvait rien en dire.

Rémi ne percevait qu'un brouhaha, un magma de paroles indistinctes. La confusion le gagnait. Un météorologue aurait été à même de définir son état : brumeux, avec quelques éclaircies. Un climat pesant, surtout pour les autres. Parfois, il hochait la tête pour donner le change, manière de mimer sa participation à la vie collective. Ce soir-là, manifestement, le masque était trop grimaçant.

Il s'évadait dans ses pensées, cadastre intérieur dont il était le seul à posséder le plan. Là, dans ce territoire de l'imaginaire inaccessible à tout autre que lui, Victoria s'imposait. Ses seins, ses fesses, ses yeux surgissaient en majesté des clairs-obscurs du parking. Son sourire quand elle laissait échapper : « Ton existence me ravit », et tout était dit. Ses paroles à travers la fenêtre baissée de la portière. Cette manière bien à elle, si peu tragique et si attendrissante, d'implorer sans jamais déplorer. Son regard au-delà de l'âge dans lequel surgissait une délicieuse lueur de vice. Victoria et non Victoire car plus doux dans l'énonciation. Son éclat de rire s'était niché dans le creux de son oreille, disputant la place aux accords entêtants de sa sonate infernale. L'atterrissage, parfois brutal, le projetait dans l'absurde.

« Chéri, des zakouskis ?

— Des acouphènes. »

Marie était plantée là, debout, à ses côtés, embarrassée par le plat qu'elle tenait, hésitant entre deux attitudes : le servir d'autorité, comme le lui aurait suggéré son père, le priver d'entrée, comme le lui aurait intimé sa mère, à moins qu'elle n'eût obéi qu'à son propre instinct, lequel lui commandait de lui balancer le plat à la figure. L'intervention de Virginie fit la décision in extremis.

« Papa, je te sers un peu de tout, tu aimeras sûrement, maman a fait russe ce soir…

— Des acouphènes, c'est bien cela », répétait Rémi en regardant fixement dans le vide.

Marie, qui avait repris sa place au bout de la table, s'impatientait, triturant le contenu de son assiette, écrasant la nourriture du dos de sa fourchette, comme s'il s'agissait de l'humilier avant de la réduire à néant.

« Et c'est Zacouphène qui nous vaut une aussi charmante humeur ! Les enfants, vous pouvez remercier ce monsieur et toute sa famille de nous avoir pourri la soirée en transformant votre père en fantôme ! »

Elle lança bruyamment son couteau dans son assiette avant de se servir un verre de vin tandis que Paul se levait pour se blottir contre Rémi.

« Papa, qui c'est, ce type ?

— Mais non, ce n'est rien, en tout cas pas de quoi faire un drame. "Acouphène", c'est le mot que je cherchais depuis tout à l'heure pour décrire ce que j'ai. Ce qui m'arrive. Un insupportable bourdonnement. Des bruits qu'on entend en permanence, dont on n'arrive pas à se débarrasser et que personne d'autre n'entend... Quelque chose de très subjectif, qui fait souffrir.

— Tu souffres ? »

Rémi embrassa son fils sur le front et l'envoya se rasseoir. Assez lucide pour comprendre que la crise couvait, il jugea impératif de revenir parmi eux, bien qu'il eût préféré rester quelque part dans l'inachevé. Dans ces moments-là, Rémi se branchait sur son pilote automatique. Cette indispensable machine à débiter des lieux communs lui permettait de s'accommoder de la société dans ce qu'elle a de plus futile en donnant l'illusion de s'y intégrer.

Sauf que ce soir-là l'épreuve lui parut insurmontable. Non qu'il eût été incapable de cloisonner ses vies. Mais le fait est qu'il s'était donné quelques règles informelles et qu'il ressentait toujours un certain malaise à y déroger. Ce soir-là, c'était le cas.

Il avait quitté Victoria pour rentrer directement chez lui alors que, dans de semblables circonstances, il s'arrangeait toujours pour repasser par son bureau à l'Institut et y travailler ne fût-ce qu'une heure. Pour artificielle qu'elle parût, cette rupture lui était nécessaire. Il fallait impérativement glisser un troisième lieu dans l'intervalle de sa double vie. Une sorte de purgatoire qui le laverait de son impureté avant qu'il ne réintègre le périmètre sacré. Victoria n'agissait pas autrement, qui réinscrivait le travail entre le désir et le devoir. Il la soupçonnait même de concéder des rendez-vous tardifs à ses patients afin de ne pas quitter une étreinte pour une autre. Car il s'agissait bien de cela. Le contact, la peau, l'odeur. Toutes choses qui, plus profondément que d'autres, donnent l'intime mesure de la trahison à l'œuvre.

Le dîner s'était clos prématurément. La tension l'avait achevé. Pour une fois, Marie avait fait l'effort d'éviter les tranches de jambon agrémentées de feuilles de salade, et d'une purée assortie, lesquelles ne faisaient plus illusion depuis longtemps. Mais ce n'était pas le bon soir pour se distinguer. Les feuilles de vigne et le tarama sur toasts en firent les frais.

L'atmosphère était trop chargée d'électricité pour que nul n'ait eu envie de poursuivre le colloque ou de savourer quoi que ce soit, les deux exercices exigeant d'avoir l'estomac dénoué. Il n'y aurait pas de conversation feutrée sous la lampe, ni de commentaire à deux voix des trivialités ordinaires. Chacun regagna son univers, muré dans la solitude de ses tragédies minuscules.

Le tribut de sa double vie était parfois lourd à payer,

mais n'est-ce pas par les passions que l'on tient à la vie, malgré leur pouvoir de destruction ?

En d'autres temps, pas si lointains, seule la télévision avait le pouvoir de les réunir. Elle faisait office de cheminée, les images y crépitaient, la famille en était irradiée pour le meilleur et pour le pire. Ce n'était déjà plus vrai depuis l'éclatement des chaînes et la multiplication des postes. La télévision rayonnant désormais partout chez eux, elle n'était plus nulle part. Fondue dans le paysage domestique, elle n'en demeurait pas moins omniprésente, quand Rémi aurait tant espéré que sa banalisation la neutraliserait. Il avait beau répéter que les programmes avaient été manifestement conçus par des bœufs pour des veaux, que convoquer le public pour lui faire applaudir les propos les plus insignifiants était une marque de mépris, que la diffusion de rires enregistrés en ponctuation des temps forts d'une fiction était le degré zéro de la pensée, que l'esprit des jeux était une insulte à leur intelligence, que l'intégralité du texte du journal télévisé tenait en deux colonnes d'un quotidien et en disait deux fois moins, que la seule vertu de cette boîte était d'exprimer en réduction toute la vulgarité du monde, rien n'y faisait. Pas même l'exemple, puisque ses amis lui reprochaient encore d'avoir refusé l'offre d'une émission de grande écoute ; son animateur, aussi malin qu'épais, lui avait proposé de jouer son propre rôle et de se rendre avec une équipe de filmeurs dans un parking en sous-sol considéré à l'égal d'une grotte paléolithique pour en expliquer les tags comme s'il s'agissait de dessins immémoriaux. Tant qu'il pouvait encore refuser d'apporter sa caution à ce genre d'obscénité, il avait le sentiment de n'avoir pas renoncé à ses valeurs. De ne pas s'être renié pour une misérable poignée de paillettes. De n'avoir pas abdiqué ce minimum de fierté sans quoi on n'a plus qu'à se cacher.

C'est aussi que la télévision lui faisait peur. Puisque son objectif était désormais partout, et que rien n'était plus intrusif que sa curiosité, il craignait de s'y reconnaître aux côtés de Victoria. Dans la rue main dans la main. À une terrasse de café les yeux dans les yeux. Combien de fois n'avait-il pas réprimé en lui le réflexe qui l'aurait fait bondir pour masquer l'écran de son corps ?

Rémi continuerait à passer des heures intenses sur un banc à regarder les gens passer, à se projeter à la veille d'un bouleversement radical qui emporterait jusqu'au parfum des œuvres qu'il avait tant aimées, et à tirer de ce vertige autant d'enseignements que d'une conversation ou d'un livre, mais il échouerait à jamais à transmettre aux siens cette idée que le temps est notre sang même.

Chez lui, il était tenu à l'écart, tel un diablotin comique dans les marges d'un livre d'heures. Il n'en allait pas autrement dans son milieu ; on l'y considérait comme un excentrique, sans songer un seul instant à quel point c'était vrai. Ne se faisait-il pas régulièrement expulser du centre vers la périphérie ? Le respect était intact, et l'admiration inentamée. Mais si on l'entendait bien, on ne l'écoutait plus vraiment. Il avait parfois l'impression de s'exprimer dans une langue métamorphosée en dialecte à l'insu de tous, comme si son français n'était plus intelligible que par quelques sauvages de son espèce. Mais plus on pointait son originalité, plus il se murait dans son exil intérieur. Non celui d'un solitaire, mais celui d'un esseulé.

Il s'avoua définitivement vaincu le jour où, en dépit de ses résistances, Marie installa un poste de télévision dans leur chambre à coucher. Elle le fit sans violence, avec une désinvolture assez étudiée, manière bien à elle de lui signifier qu'ils feraient désormais ménage à trois. Ce n'était peut-être rien, juste une avancée stratégique dans une dérisoire guerre de territoires, mais il la vécut comme une date dans la décadence de leur couple. Certains s'endorment face à un monochrome bleu, d'autres se réveillent face à une sanguine licencieuse. Leurs rêves portent la trace de cette ultime image. Le goût du pouvoir et la volonté de puissance de Marie avaient définitivement imposé à Rémi la vision d'une lucarne dont il n'arrivait pas à décider si elle était plus accablante éteinte ou allumée.

Rémi s'attarda dans la chambre des enfants. Après avoir sacrifié au rituel des devoirs en inspecteur des travaux finis, il s'allongea à même le sol et s'offrit au feu roulant de leurs questions. Dans une société qui ressemblait désormais à un vaste centre commercial, Rémi entendait se battre tant qu'il en était encore temps pour leur éviter de finir en citoyens-consommateurs tout en les aidant à compléter un puzzle entamé un dimanche de pluie.

« Qui sont ces gens ? demanda Virginie en désignant le couvercle de la boîte. On les connaît, au moins, j'espère... »

À quoi avait pensé leur parrain en leur offrant de reconstituer *Californie 1955* ? Certainement pas à mal.

Pourtant, dans le registre des amours illicites, rien n'était plus suggestif que cette photographie en noir et blanc, dont l'admirable organisation plastique rehaussait la qualité poétique. Un surréaliste n'en aurait pas renié l'esprit, ni la lettre.

De prime abord, sa composition pouvait déstabiliser les logiques les mieux établies tant elle s'apparentait à un montage. Après analyse, au premier plan on devinait la partie avant d'une automobile vue de dos. Au second, la mer dans la douce lumière d'un coucher de soleil. Et entre les deux un rétroviseur dans le reflet duquel une femme laissait éclater sa joie de vivre, le visage reposant sur le bras d'un homme. Une diagonale invisible traversait l'image et la séparait en deux mondes. Dans sa partie supérieure, les nuages, l'eau, la terre. Dans sa partie inférieure, les humains, le verre, le fer. Un discret chef-d'œuvre jusque dans ses ambiguïtés et la richesse des interprétations qu'elles suscitaient. D'où pouvait bien sourdre la vraie force, d'elle ou de lui ? Que cachait ce sourire carnassier : une volonté de pouvoir ? Et cette attitude conquérante : le refus de laisser son destin lui échapper ? Le plaisir l'emportait-il sur le bonheur ? Qu'importe, après tout. Cette étreinte mouillée de sel marin conservait son mystère, lequel se réfugiait dans le cou à demi couvert de la femme. Erwitt tenait là son *Angelus.*

« Des gens qui s'aiment, tout simplement », dit Rémi.

Tant qu'à faire, dès qu'il en avait l'occasion et dans la mesure où c'était sans conséquence, il était le genre de père qui préférait donner à ses enfants des mensonges qui élèvent le genre humain plutôt que des vérités qui l'abaissent. La fabrication de l'icône aurait pu en être une. Les personnages auraient pu être des modèles, payés pour poser. Faire semblant. Simuler le sentiment amoureux. Contre de l'argent. Il préféra évoquer l'humour du photographe, et le génie déployé avec naturel pour faire rire et pleurer, son but suprême.

En les emmenant en voyage, il avait conscience de leur fabriquer des souvenirs. En fait, il agissait avec eux comme si chacune de leurs impressions devait fixer pour l'avenir la couleur de leur âme. Il goûtait comme peu d'autres ce moment de détente privilégié qui lui donnait l'illusion d'accéder à l'esprit des siens, des personnes de douze et dix ans qu'il devinait plus qu'il ne les connaissait. À leurs interrogations, il les voyait grandir. Il s'agissait de moins en moins de savoir pourquoi on a le ciel au-dessus de la tête. Les choses du sexe les taraudaient, à n'en pas douter, tout les y ramenait. Le préservatif occupait depuis peu une place de choix dans leur imaginaire. Les conciliabules de récréations et la propagande prophylactique l'avaient élevé au rang d'objet mythique, paré de tous les mystères.

Avaient-ils une idée de ce qu'était la vraie vie de leur père ? Au fond, ce qu'ils pouvaient savoir importait moins que ce qu'ils devaient sentir. Le jour où il le comprit, le fardeau s'allégea aussitôt. Son chaos intérieur leur resterait insoupçonnable, du moins pendant un certain temps. Comment aurait-il pu leur expliquer, alors qu'il n'aurait su se l'expliquer à lui-même, qu'en cet instant précis il songeait que, dans la langue de Médée, un même mot désigne le suicide et l'infanticide.

Quand vint l'heure de l'extinction des feux, il remonta les draps jusqu'à leur menton et leur caressa le front. Avant d'y déposer un baiser, il fut pris d'hésitation et songea à ce que ses lèvres avaient embrassé, à ce que ses doigts avaient caressé quelques heures auparavant. Bien qu'il les eût énergiquement savonnés avant de passer à table, il ne put se défaire d'un malaise, la sensation que cet acte des plus tendres prenait un tour pornographique. Et que les grandes lèvres vulvaires de Victoria, dont il conservait encore le goût salé, s'apposaient par sa douteuse intercession sur la peau la plus pure qui fût, celle de ses propres enfants. Alors, pour la première fois de la soirée il se sentit souillé.

Marie s'étant enfermée dans la salle de bains, Rémi en profita pour en faire autant dans le cabinet de toilette. Une fois dénudé, il actionna la petite lumière intérieure d'un miroir grossissant et l'approcha de son fragment meurtri. Le spectacle offert par ce morceau de cervelas était si lamentable qu'il eut un brusque geste de recul. Jamais il ne s'était ainsi dégoûté. En une quarantaine d'années d'active complicité avec son prolongement le plus cher, son ami le plus proche, son ambassadeur le plus fidèle, il ne s'était jamais senti aussi trahi.

Il manipula délicatement le misérable bout de chair à l'aide d'un coton-tige, et le retourna en tous sens, à l'égal d'une excroissance des plus suspectes, craignant de découvrir des caillots sournoisement dissimulés dans les replis, ou placés en embuscade dans les sillons. Ce n'était pas l'œuvre de dents mais de crocs. Victoria ne plaisantait pas quand elle disait que le désir réveillait en elle son instinct bestial. De là à l'amputer de son bien le plus précieux... Il n'y avait qu'elle pour y voir une blessure symbolique. Lui revint alors un sarcasme qui avait le don d'irriter Victoria, une boutade d'un écrivain russe qui définissait la psychanalyse comme l'application de vieux mythes grecs sur les parties génitales.

Qui croirait jamais qu'un airbag produirait un tel effet sur un automobiliste normalement constitué ? Rémi avait entendu parler de procès intentés à des fabricants pour des lésions faciales ou oculaires, des ruptures de l'aorte thoracique, des cas de dystrophie sympathique réflexe et de pertes d'audition, mais jamais à sa connaissance un équipementier n'avait été poursuivi pour morsure phallique.

Au danger et à la douleur s'ajoutait le ridicule. Nul ne devait savoir, nul ne saurait. Le stigmate était appelé à disparaître. Un jour, l'empreinte deviendrait vestige. Le légendaire pouvoir de reconstitution de la muqueuse de la verge l'autorisait à un certain optimisme. Mais il ne pouvait s'offrir le luxe d'attendre la cicatrisation. Pour hâter le processus et éviter toute surinfection, il entreprit de nettoyer la plaie avec une compresse imbibée d'un antiseptique déniché dans l'armoire à pharmacie. Il dut vite y renoncer de crainte de ne pouvoir contenir plus avant un hurlement qui aurait certainement pulvérisé les vitres du voisinage si un ultime sursaut de prudence, plus encore que son éducation, ne l'avait inhibé in extremis. Mais comment soustraire cette chose au regard tout en la protégeant ? Les réserves du musée de l'Homme, auxquelles il avait librement accès, recelaient bien des étuis péniens en courge des Dani de Nouvelle-Guinée, ou d'autres, en palme, des Bafia du Cameroun ; un emprunt provisoire serait passé inaperçu mais sa réputation d'originalité n'aurait pas suffi à dissiper les soupçons.

Il enfila un slip moulant, qu'il bourra de coton hydrophile au niveau de la braguette, comme s'il s'agissait d'élever une muraille de Chine autour de sa cité interdite afin de la protéger des chocs frontaux, dommages collatéraux et convoitises de toutes parts. Placé sous haute surveillance, son membre angoissé devrait apprendre à vivre désormais dans la méfiance.

En sortant du cabinet de toilette, il arpenta le couloir avec des précautions de démineur. La maison était silencieuse. Il s'assura que les enfants n'avaient pas quitté leur lit. Virginie faisait semblant de dormir. Alors qu'il ramenait les draps à son menton, elle ouvrit les yeux malicieusement et lui agrippa le bras :

« Papa, je peux te poser une question ?

— Une seule, une dernière pour la route...

— C'est quoi, un mariage mixte ? risqua-t-elle du bout des lèvres.

— Quelle drôle de question, surtout à cette heure-ci. Où vas-tu chercher ça ?

— À l'école. La mère d'une de mes amies lui a dit que maman et toi, vous aviez fait un mariage mixte. Alors, c'est quoi ? »

Rémi s'assit sur le bord du lit, réfléchit un instant puis délivra sa sentence sur un ton ironique :

« C'est quand un homme épouse une femme et vice versa. Tu vois, encore une manière compliquée de dire des choses si simples en fait.

— Mais quelle différence avec les autres couples, alors ? reprit-elle.

— Certains sont plus mixtes que d'autres. Bonne nuit, ma chérie... »

Après avoir constaté que la porte de la salle de bains était enfin entrebâillée, il s'y glissa. Elle n'était éclairée que par une faible lumière d'appoint.

Rémi avait les traits tirés, la paupière lourde, la barbe

déjà renaissante. La glace murale, le plus implacable car le plus vrai des tableaux, lui renvoyait une image pleine de mauvaise haleine. En se dévisageant, il devinait l'heure. Il avait atteint l'âge où on est responsable de sa gueule. Son masque l'effrayait. Puis il retira sa veste de pyjama et s'examina sans plus de complaisance.

Des épaules trop étroites, un ventre guetté par la flaccidité, des jambes maigres comme des cannes, des touffes de poils si clairsemées qu'elles semblaient avoir poussé par erreur sur son torse. De ce corps sans caractère, sauvé par sa hauteur et conforté par son élan, se dégageait tout de même une certaine grâce. Mais à tout prendre, il s'aimait mieux habillé. D'autant que les regards se posaient alors de préférence sur ce qui n'était pas couvert, la forme des yeux et l'ourlet des lèvres, bien sûr, discrètement sensuels, toutes choses qui l'avaient désigné comme un garçon mignon depuis sa petite enfance. Mignon, rassurant et confortable, c'est ce qu'elles se contenteraient de dire encore avec une certaine gourmandise, n'eussent été ces mains si harmonieusement dessinées, les doigts dont la finesse annonçait déjà les gestes les plus tendres.

Tout en se rapprochant le plus possible du miroir, il découvrit son flanc droit et examina son coude. Quelques jours à peine et l'hématome s'estomperait. La détumescence était en bonne voie. Mais le simple fait de le maintenir au-dessus de sa tête réveilla la douleur dans le bas ventre. Un mouvement réflexe le fit aussitôt se plier en deux en se tenant les parties comme s'il venait de recevoir une caresse de Caterpillar, puis se redresser en mouvements saccadés.

« Ainsi dansait Zarathoustra ? »

La voix de Marie le surprit. Pétrifié, il eut besoin de lourds instants pour retrouver sa maîtrise et se retourner. Pour toute réponse, il se redressa, sans effort apparent. Elle était assise sur la cuvette des toilettes, le slip baissé jusqu'aux genoux, les seins libres sous le tee-shirt blanc de la nuit, un rouleau de papier hygiénique à la main.

« Ton humour, tes sarcasmes, à cette heure-ci... » soupira-t-il.

La douce musicalité d'un filet de ruisseau d'Île-de-France s'achevant en goutte-à-goutte de supplice chinois lui fit écho. Tout en trouvant appui contre le lavabo, Rémi contempla Marie, laquelle prenait plaisir à s'attarder dans une attitude qu'elle savait des plus excitantes aux yeux de son mari. L'intimité, ça devait être quelque chose comme ça. Pisser sous le regard de l'autre sans que cela parût jamais répugnant. Un au-delà de l'impudeur. Juste de quoi accorder une certaine noblesse à la déjection. Sauf qu'en la circonstance une telle charge érotique annonçait un déploiement inopiné de sa blessure secrète et une catastrophe en perspective.

D'ordinaire, ils se couchaient rarement avant minuit. Mais ça n'avait pas été une journée ordinaire. La tension du dîner était retombée. Ils traînaient comme s'ils avaient conscience que prendre son temps, résister à la tyrannie de l'urgence, récuser l'injonction de l'impatience, était le dernier luxe autorisé. Non du temps perdu mais du temps gagné. Chacun s'employait discrètement à faire un bout de chemin vers l'autre. Marie n'avait pas ouvert la télévision, Rémi n'avait pas allumé de cigarette. Des signaux plus légers que des signes à qui sait les percevoir. Rien ne pouvait mieux illustrer une certaine idée du mariage : un absolu devenu un arrangement.

Ils avaient conscience que, après s'être simplement aimés, ils s'aimaient encore. Quand il leur arrivait de ne plus s'aimer, ils s'accommodaient de la situation. Non plus par instinct, ni par hantise de l'inconnu, mais par calcul : les raisons de rester ensemble étaient plus nombreuses et plus profondes que les motifs de séparation. Réalisme, résignation ou cynisme, qu'importe le terme, il variait selon les humeurs et les circonstances. Surtout ne pas le figer puisque, au fond, il désignait un état d'âme à géométrie variable. Une certaine solidarité les maintenait de concert, même si l'adversité des premiers temps s'était dissipée. La conviction de se croire indispensables l'un à l'autre les cimentait plus sûrement que bien des serments. Car rien ne mine un couple comme le sentiment d'être remplaçable. Ils en étaient là au bout d'une dizaine d'années de vie commune, si commune, ainsi que le révélaient les confidences de leurs amis.

Ils s'accommodaient, mais ne se l'étaient jamais dit. Leur situation n'était supportable qu'à cette condition. Ce silence rendait la vie plus légère.

Allongés côte à côte sur le lit, ils entrèrent chacun dans leur monde dès qu'ils chaussèrent leurs lunettes de lecture, étrangers peau contre peau. Rémi était allé jusqu'à renoncer à achever la lecture du journal par égard pour l'immaculée blancheur des draps, mais Marie n'avait pas abandonné ses chers dossiers. Sans doute leur contenu leur conférait-il une propreté que jamais un quotidien n'atteindrait.

Son livre, il l'avait acheté pour des raisons extraintellectuelles. Ça lui avait plu, quand un collègue lui avait appris que l'auteur avait osé refuser de faire financer sa recherche par Contaclair pour n'avoir pas à les remercier en laissant la marque figurer sur la couverture. C'était beau de savoir dire non, surtout à l'argent.

« Qu'est-ce que tu lis ? »

Sans même attendre de réponse, elle retourna la couverture du livre.

« *Le don des larmes à travers les écrits spiritualistes*... Je vois. Follement gai. La littérature lacrymale, ça doit être à pleurer, non ?

— Mieux que ça, c'est éblouissant. Surtout ce qui est dit du statut des larmes intérieures. As-tu seulement songé que le cœur peut pleurer même si les yeux ne le font pas ? Les vraies larmes sont sèches, c'est la leçon des mystiques.

— Au moins, ça te change, dit-elle. Tu fais un bond de quelques siècles... Si tu savais dans quoi je suis...

— Il fut un temps où les larmes étaient un critère de sainteté, une grâce... Dans quoi es-tu ?

— Tu ne devineras jamais. »

Rémi se pencha vers elle, inspecta des deux côtés la chose qu'elle tenait entre les mains, la renifla puis émit un verdict tout en se bouchant le nez :

« Une chemise beigeasse contenant un paquet de photocopies, au moins aussi dégoûtantes que du papier journal, lesquelles reproduisent une écriture manuscrite difficile à déchiffrer ; quant au reste... »

Marie retira ses lunettes, tourna la tête vers lui et, retenant à grand-peine le sourire de la victoire, murmura :

« Un journal intime. »

Il posa ses lunettes à son tour, plus intrigué que tourmenté. Le ton de Marie était devenu soudainement si étrange et son regard si lourd de sous-entendus qu'il se piqua au jeu. Quand elle cessait de vouloir faire sérieux pour faire grave, c'était signe qu'elle allait abandonner sa manière si naturellement ironique pour s'exprimer avec une solennité inquiétante pour leur avenir proche.

« Voyons : ça ne peut pas être le tien car ce serait vraiment du vice de le lire sous cette forme, ça ne peut pas être non plus celui d'une de tes amies car elles ne sont pas si folles pour te le confier, ça...

— Mais qu'est-ce qui te permet de supposer que je tiens un journal ?

— En effet, convint-il, je ne t'ai jamais vue écrire. Et je n'ai jamais fouillé à ton insu dans tes affaires personnelles, dans tes poches, dans ton sac. Tu peux en dire autant ? »

Marie esquiva la question. Elle cessa de triturer ses lunettes, les replaça à mi-course du nez et se donna une contenance en feuilletant rapidement le bloc de feuilles qui reposait sur son ventre.

« Je suis sur un gros dossier. Le nom importe peu, mais il pèse lourd. Quand mon client m'a raconté que sa future ex-femme tenait un journal intime, je lui ai demandé s'il avait eu la curiosité d'y jeter un œil. Dès qu'il a commencé à me raconter, j'ai senti que c'était dans la poche. Alors voilà.

— Voilà quoi ? Tu lui as demandé de le voler ?

— Tout de suite les grands mots ! répliqua-t-elle. Je n'ai pas eu besoin d'être aussi explicite. Il avait parfaitement compris. Deux jours après, j'en avais une copie intégrale sur mon bureau. J'en ai déjà lu la moitié. Tout y est : le prénom de son amant, les initiales, les lieux où ils se retrouvaient, ce qu'ils se faisaient, tout le catalogue de ses fantasmes. Beaucoup de tendresse aussi... »

Rémi n'avait même pas prêté attention au changement de ton de Marie prononçant ces derniers mots, véritable déclinaison des nuances de l'envie. Il était trop effaré par ce qu'il aurait voulu dénoncer comme un mélange inédit de cynisme et d'impudeur pour y déceler une quelconque émotion. Comment avait-elle osé violer la part d'ombre de cette inconnue pour en faire un argument public afin de sortir victorieuse d'une affaire ? Fallait-il qu'elle ait renoncé aux plus essentielles de ses valeurs pour tomber si bas et abdiquer à ce point tout sens moral. Comment pouvait-elle à ce point se manquer de respect ? Tout cela lui sembla si méprisable que Rémi ne s'interrogea même pas sur la légalité de la démarche, sinon de sa pertinence juridique. L'objection ne prit pas Marie en défaut.

« J'ai tout vérifié, s'enflammait-elle, c'est plaidable, même avec des débuts de preuves à défaut de preuves. Et puis, sur le plan pénal, le vol n'existe pas entre époux.

— Il y a une jurisprudence ?

— Non, justement. Tu imagines, on sera les premiers. »

L'impeccable horlogerie de la cruauté était en marche. Marie tirait orgueil de ce qui navrait Rémi. Que nul n'ait usé avant elle, avec succès, d'une telle arme aurait dû l'alerter de son éventuel pouvoir homicide. Le barreau de Paris ne manquait pourtant pas d'arrivistes prêts à vendre père et mère pour gagner une affaire, certains mêmes disposés à les livrer à domicile pour être sûrs de l'emporter.

« Je te choque ? risqua-t-elle.

— Tu me déçois. »

La sentence était tombée avec la sécheresse d'un couperet. Rien ne pouvait plus ébranler Marie qu'un tel jugement. Tout ce qu'elle avait toujours entrepris en toutes choses était destiné à susciter l'admiration de tous. Que le premier d'entre eux fût à ce point désenchanté par son attitude la peinait profondément. Il le sentit à sa manière de baisser les paupières et de détourner le regard, mais ne fit rien pour amender sa charge, tout au contraire.

« Quand je t'ai connue, tu étais à peu près aussi idéaliste que je le suis encore. Tu te passionnais pour le droit de la famille. Aujourd'hui, tu fais plutôt dans l'infamie. »

Elle posa son dossier sur les draps et applaudit en dodelinant de la tête.

« Bravo, professeur. Brillant comme toujours, quoique légèrement excessif. »

Le retour à l'ère des sarcasmes annonçait la fin de la trêve et la reprise des hostilités. Chacun s'immergea à nouveau dans son univers. Les larmes se répandaient aussi bien dans l'un que dans l'autre monde.

Rémi était incapable de se concentrer sur sa lecture. Comment aurait-il pu à nouveau rejoindre les anachorètes en prière, et distinguer la componction du repentir, quand tout le ramenait au destin de cette inconnue dont Marie ferait sa victime ? Car elle ne renonçait jamais, nul mieux que lui n'aurait pu en témoigner. Même quand elle allait droit au mur, rien ne pouvait atténuer sa résolution, pas même la perspective de l'échec ni, pis encore, celle d'une défaite publique.

Une bonne heure s'écoula avant que Marie ne posât

ses dossiers et ses lunettes sur une chaise. Elle éteignit sa lampe de chevet, la ralluma aussitôt, fouilla nerveusement dans son sac, décrocha le téléphone et composa un numéro.

« Mais qui appelles-tu à cette heure-ci ? lui demanda Rémi.

— Mon portable. Je ne le retrouve plus. Si je l'ai oublié à mon cabinet, je n'en dormirai pas...

— Ah... mais quelle importance ?

— Chut, tais-toi... Tu entends ? » fit-elle en tendant l'oreille vers un écho rappelant avec une tonitruante délicatesse la charge de la brigade légère.

Elle se leva aussitôt avec la dernière énergie, et revint de la cuisine en manipulant son appareil, qu'elle enfouit dans son sac, tout à côté d'elle. Sa précipitation était trop suspecte pour ne pas intriguer son mari, mais elle n'en avait cure.

« Tu ne peux pas comprendre, dit-elle pour désamorcer toute question. Les numéros en mémoire, le répondeur-enregistreur, tout ça, c'est le domaine de la vie privée, même quand c'est professionnel, et je ne voudrais pas que ça tombe entre les mains de n'importe qui. C'est encore plus intime qu'un agenda.

— Plus qu'un journal intime ? »

Comme il s'y entendait pour porter le fer dans la plaie, elle lui tourna ostensiblement le dos, sans un mot, sous le prétexte de fuir son propre halo de lumière. Pas de meilleur moyen de clore l'annonce d'une dispute, et de faire taire les premiers échos de la musique argumentaire.

Cette nuit-là, Rémi voulut l'observer dans son sommeil. Elle reposait sur le ventre, les mains sous l'édredon, recroquevillée en position fœtale. Il se leva, s'assit sur les dossiers et se surprit même à retirer les draps jusqu'aux chevilles de Marie pour mieux la contempler. Ses traits si parfaitement réguliers qu'on en venait à espérer le hiatus qui bouleverserait cette harmonie, glaçante à force d'équilibre. Ses cheveux assez courts qui annonçaient déjà tant de détermination dans le caractère et la ferme intention de ne pas s'encombrer de préoccupations superflues. Sa peau laiteuse que l'on eût crue encore en enfance si le travail du fard ne l'avait rendue diaphane. Ce cou sans talent ni génie, ce cou d'une impardonnable médiocrité, ce cou d'indécrottable bourgeoise. De sa tête, seul son regard se dérobait à l'exploration, et pour cause ; mais, même les yeux fermés, tout en elle paraissait si limpide qu'on lui voyait l'âme. Y compris cette éternelle insatisfaction subtilement manifestée à la commissure des lèvres. Son corps ferme et honnête, refusant de tricher malgré l'épaisseur qui menaçait les hanches, ses seins lourds promis à un inévitable affaissement, chevau-léger d'un effondrement général, et ses paupières déjà fatiguées. Autant de signes d'une débâcle des chairs qu'elle semblait guetter sans trop les redouter, moins par sagesse que par principe. Elle ne ruserait pas et demeurerait à jamais solidaire de tous ses âges, du moins c'est ce qu'elle prétendait, consciente qu'une telle attitude est plus aisée à soutenir avant quarante ans qu'après.

Tout de même, depuis deux ans que Victoria avait pénétré par effraction dans sa vie — deux ans, presque un mariage —, il ne pouvait éviter de comparer les deux femmes en toutes choses, à commencer par la plus intime, et il savait où se situait la grâce. L'une était la règle constatée parmi tant d'épouses : une âme active dans un corps inoccupé. L'autre était l'exception observée chez tant d'amies de cœur : l'ineffable trinité du corps, de l'âme et de l'esprit.

L'une était en charge, elle gérait et assumait, avec elle ça fonctionnait, pour reprendre ses affreux mots. L'autre avait le don des larmes.

Il aurait voulu découvrir sa femme comme s'il la regardait pour la première fois. La désirer avec le même élan qu'avant les contraintes du contrat. Mais, ainsi penché vers elle, surgi de la pénombre, les coudes sur les genoux, il semblait plutôt veiller une morte. Depuis une dizaine d'années qu'il partageait la vie de Marie, il s'interrogeait pour la première fois sur ce qu'elle était vraiment, comme s'il s'agissait d'une étrangère rencontrée la veille dans un train de nuit.

Il savait sur elle des choses que nul ne savait mais ne voyait pas ce que tout le monde voyait. Il croyait tout connaître d'elle, mais rien de plus. Jamais il n'avait autant ressenti ce manque qu'en cet instant précis, à la faveur de cette révélation si anodine aux yeux des autres mais capitale aux siens. Fallait-il qu'il ait le sexe en compote pour choir dans un tel gouffre existentiel au bord vertigineux du lit.

Peut-être se sentait-il particulièrement vulnérable depuis le choc subi dans le parking et l'angoisse qui s'en était suivie. Mais non, ça ne pouvait pas être ça, pas uniquement. Pour la première fois en une dizaine d'années, il remettait en question ce qu'il savait de Marie. Une phrase l'obsédait : « Êtes-vous vraiment sûr d'elle ? » La question lui avait été posée par le dermatologue qu'il avait consulté un jour de démangeaison inexpliquée, au lendemain d'une étreinte fugace et violente dans la cage d'escalier de l'Institut avec une collègue de travail qui lui était apparue soudainement irrésistible. « Probablement une mycose superficielle, vous auriez dû prendre le temps de vous protéger, mais êtes-vous vraiment sûr d'elle ? » lui avait répété le médecin en se penchant sur son cas enflé avec la curiosité primesautière d'un mycologue en cueillette aux confins de la forêt de Fontainebleau.

Mais de qui est-on vraiment sûr quand on ne l'est même pas de soi ? Rémi ne l'était plus de sa propre femme.

Plus il la méditait, plus le bloc de mystère se durcissait. Indéchiffrable, celle qu'il avait toujours crue si lisible. Le soupçon avait instillé le doute. Il la regardait dormir tout en se demandant si elle dormait vraiment. Une énigme que cette gisante dans leur lit.

Comment avait-elle encore pu soutenir son regard après avoir organisé ce vol doublé d'un viol ? Ce n'était rien mais cela changeait tout. Rémi était plus ébranlé que s'il lui avait découvert une liaison, car il aurait mieux compris qu'elle le trahisse plutôt qu'elle se trahisse. Le reniement pire que l'adultère. À tout prendre, il aurait préféré qu'elle lui mente, fût-ce par omission. Ne rien savoir de ce forfait pour ne pas s'en rendre complice d'une manière ou d'une autre. Ne pas être mêlé aux préparatifs de cette exécution, car assister, c'est déjà participer. La découvrir un jour dans les journaux. Et laisser Marie se débrouiller avec ce qu'il lui restait de conscience. Que tant d'énergie vitale ne dissimulât pas une sourde inquiétude lui paraissait inconcevable.

Une autre aurait gardé ça pour elle. Pas Marie, qui avait l'inconscience de ses opinions.

Il la regardait dormir et la jugeait. De plein droit. Non en vertu des liens sacrés du mariage ou de ceux, plus laïques, de la République, mais au nom de toutes les émotions qui avaient constitué au fil des ans leur capital sentimental, atroce métaphore économique bien dans son genre. Car l'argent de la maison, c'était elle. Très vite, son esprit d'organisation et son sens des placements l'avaient désignée administratrice de leurs biens. Au nom d'une éthique de la responsabilité dont elle se sentait personnellement dépositaire, elle avait banni toute perspective de dette et d'emprunt. Rémi en avait d'autant moins pris ombrage qu'il n'avait toujours manifesté que du désintérêt pour leurs intérêts. Il n'aimait pas l'argent, lequel le lui rendait bien. La fin du siècle, marquée par les années fric, l'avait tant et si bien dégoûté qu'il s'était exilé. Ainsi appartenait-il à une espèce si rare qu'on aurait pu l'empailler au musée des Finances, celle des Français qui sont passés directement des anciens francs à l'euro.

Rien ne semblait pouvoir troubler le sommeil de Marie. Mais quelle Marie observait-il dans la pénombre de leur chambre : l'épouse? la mère de ses enfants? l'avocate? l'amante? Il les aimait toutes à travers celle qu'elle était devenue. Mais comment prétendre aimer quelqu'un à qui l'on ment sur l'essentiel? S'installer dans cette contradiction, c'était déjà y répondre. Tant de choses avaient eu lieu et tant de paroles avaient été échangées, souvent si regrettables mais jamais regrettées. Ils avaient déjà éprouvé de la haine mais jamais encore de l'indifférence, qui est son stade ultime. L'oubli étant essentiel à la survie, ils étaient capables d'oublier, non de pardonner.

Depuis quand n'avaient-ils plus essayé de se conquérir ? En vérité, ils avaient perdu jusqu'au souvenir du premier regard, celui de la séduction réciproque. Mais il demeurerait toujours entre eux une sorte de complicité et une vraie tendresse, du moins s'en étaient-ils persuadés.

Soudain Rémi songea qu'il y a quelque chose d'irréconciliable dans un couple quand il s'avère que, décidément, l'un a le goût des choses et l'autre le goût des gens. Plus Marie s'attachait aux objets et aux possessions, plus Rémi s'épanouissait dans l'immatériel. Plus elle s'entourait, plus il se dépouillait. Elle se rassurait en faisant le plein, et lui le vide. Une telle tendance, qui ne pouvait que s'accentuer avec l'âge, creusait un fossé entre eux plus sûrement que toute crise de valeurs car elle échappait à l'explication pour toucher au plus profond de leur être. En s'inscrivant dans l'ineffable, elle avait atteint un point de non-retour.

Quand ils achetaient des vêtements ensemble, il était du genre à laisser dans la boutique ceux qu'il portait en entrant. Pas elle. Si elle avait dû un jour tout quitter pour se retirer sur une île, ce qu'à Dieu ne plaise, c'eût été Manhattan, plus pratique pour les taxis. On ne la sentait pas prête à accompagner son mari un vendredi soir dans la forêt de Rambouillet juste pour écouter le brame des cerfs.

Marie ignorait le non-dit, les mots entre les mots, les secrets murmurés, les silences éloquents. Dans son monde, on parlait ou on se taisait. On était régi par la tyrannie des convenances. Ce qui se fait et ce qui ne se fait pas. Rien entre les deux. Le geste gratuit non plus que l'erreur de préséance ou la faute de goût n'y étaient admis. La folie ordinaire en était conjurée. Rien ne devant échapper à sa maîtrise, l'irruption dérapante de la vie ne pouvait être qu'effrayante. Nulle place dans son système pour les frémissements de l'âme. Ni pour l'intensité souterraine d'une vibration. La demi-teinte était bannie et la nuance considérée avec méfiance. L'obsession de la règle était telle que, chez elle, même la tendresse était réglementaire. Quand il lui arrivait d'être assaillie par le doute, elle réagissait en géomètre du mystère, capable d'endurer la souffrance dès lors qu'on la convainc qu'elle seule peut l'absoudre de ses péchés.

On lui avait appris à mater ses émotions. Les dévoiler eût été perçu comme un aveu de faiblesse. Toute une éducation fondée sur la culpabilité. Peur de s'abandonner par peur d'être abandonnée, c'était son côté Clèves. Ce n'était pas d'elle qu'il fallait attendre une quelconque traversée des apparences.

À l'ardeur et la fierté avec lesquelles elle déclinait son identité, maître Marie Rabaut-Pelletier, on comprenait d'emblée qu'il valait mieux éviter de lui donner du madame Laredo, ou, pis encore, du maître Laredo. Ainsi allait-elle de l'avant avec une détermination et une réussite qui suscitaient l'admiration, du moins dans ses cercles. Elle avait voulu deux enfants et il fallait s'arrêter là ; moins aurait paru mesquin, plus ferait déjà émeute populaire. Elle avait choisi et imposé leurs prénoms, clin d'œil littéraire si appuyé que Rémi mit quelques années à ne plus rougir d'une telle niaiserie, lui qui supportait déjà depuis sa naissance un état civil mélodique.

Cultivée juste ce qu'il faut, mais par nécessité. Intelligente, mais par hasard. Du caractère, à défaut d'esprit. Trop pressée pour faire la part des choses et distinguer l'attitude du comportement. Une battante que le goût du mérite exaltait plus que le salut par le travail. Qu'avait-elle encore à prouver qui la maintînt ainsi en permanence aux aguets ?

La première fois qu'il avait été reçu chez ses futurs beaux-parents, Rémi avait compris qu'il demeurerait à jamais un personnage secondaire de ce roman familial. On l'accueillait comme un fils, mais il ne serait jamais des leurs. D'ailleurs, voussoie-t-on un fils ? Au fil des ans, ils avaient maintenu cette distance qui se voulait respectueuse mais qu'aucune marque d'affection ne réduisait jamais. Il n'était pas de leur monde et n'en nourrissait aucun complexe, persuadé que, de toute façon, dans ce pays, quand on n'a pas deux grands-parents nés en Touraine, on se sent déjà terriblement cosmopolite. Et si on l'a oublié, d'autres se chargent de vous le rappeler.

Leur vérité ne s'inscrivait pas dans le brillant du parquet. Chez eux, les patins étaient dans la tête. La bourgeoisie française figée pour l'éternité. Sauf que, dans cette famille-là, protestants et catholiques avaient fait alliance comme on fait contre mauvaise fortune bon cœur. Il y avait encore le côté des Rabaut et le côté des Pelletier. Marie, qui ne doutait jamais de rien, se voulait leur synthèse historique. Elle croyait balayer des siècles d'atavisme irréductible en gommant des aspérités. Il n'empêche : il y aurait toujours les deux tendances en elle, l'une l'emportant sur l'autre au gré des vicissitudes. Tout en elle faisait double allégeance. À une majorité, avec ce que cela suppose d'assurance, de certitude et d'instinct de domination. À une minorité, avec ce que cela implique de précarité, de discrétion et de sentiment d'exclusion. Partager sa vie revenait également à prendre la mesure de cette douce schizophrénie, bien qu'elle la récusât avec la dernière énergie pour se présenter comme l'impeccable incarnation d'une dynastie enfin réconciliée.

En dépit de son triomphe, elle demeurait au fond une bourgeoise, fille de la bourgeoisie, en qui tout exprimait, par les inflexions de voix et les attitudes, les réflexes et la parure, l'indomptable volonté de perpétuer la race dans ce qu'elle a d'immuable. Une enfant angoissée de ne pas répondre aux attentes de sa famille. Mais qu'étaitelle devenue en fin de compte, la prometteuse juriste des Rabaut-Pelletier, ce paquet de contradictions et de paradoxes sublimés par une volonté hors du commun ? Une rebelle qui traverse dans les passages cloutés.

Rémi en était le négatif. Son existence se déroulait non pas hors du monde mais dans ses marges. À la réflexion, il apparaissait moins comme un marginal que comme un irrégulier. Non conformiste plutôt qu'anticonformiste. On l'avait toujours connu ainsi. À croire que sa vie avait fait un pas de côté à sa naissance. Le fait est qu'en toutes choses il passait pour l'homme du petit écart.

Rémi était intimement convaincu que ses grands modèles avaient accédé à la sagesse pour avoir eu une seule idée de leur rôle et de leur fonction ici-bas, et pour s'y être tenus toute une vie. C'était sa manière de résister à son époque, puisqu'il n'avait pas le pouvoir de changer de contemporains. Perçu comme un inadapté que le mariage avait métamorphosé en animal social, il entendait bien se soustraire à la chaîne des obligations. Un personnage habitait en permanence sa personne, les deux coexistant en parfaite harmonie sans que jamais cette double identité ne s'intègre dans la comédie sociale, ou même ne participe au spectacle, sinon comme spectateur. Simplement, elle lui permettait de traverser son époque en étant à la fois sur place et à l'écart. Rémi était un doux que seuls les gens pressés prenaient pour un faible. Un intellectuel dont la sensibilité l'amènerait toujours à placer l'émotion au-dessus des idées. Un barbare dans la mesure où une certaine forme de civilisation l'écœurait. Quelqu'un qui préférait être touché que surpris.

Le monde avait changé de visage et il ne s'en était pas aperçu. À moins qu'il ne fît semblant. Ce qui revient au même. Doutait de tout, même du doute. Un sentiment aigu de la précarité des choses commandait chez lui une remarquable absence d'ambition. Tout à sa passion pour les grains de sable qui dérèglent les existences les mieux réglées, il guettait en chacun la pointe de folie qui le sauverait de la mort lente promise par l'atroce normalité. La part d'absurde que la vie quotidienne pouvait encore offrir le comblait au-delà de toute espérance. Il y mettait même un certain sens de la provocation, notamment le dimanche soir, quand il imposait à toute la maison son quart d'heure poétique en augmentant le son de la radio à l'heure de la météo marine, délicieux charabia exotique d'où il ressortait que les mers et les océans souffraient eux aussi de dépression.

Rémi était un nostalgique suffisamment lucide pour se savoir malade du souvenir. Un juif déjudaïsé, si républicain qu'il en serait devenu un intégriste de la laïcité si sa pente naturelle ne l'avait éloigné de tout excès. Mais un juif émerveillé par la diaspora dont il était issu, ému par l'esthétique de la dispersion qu'il décelait dans cette aventure séculaire, si fier d'être parvenu à l'autre bout d'une longue chaîne qu'il n'entendait pas être celui qui la romprait. Dans sa mémoire, l'histoire n'était que le récit d'une ambiguïté, celle de la condition humaine.

Étranger de naissance, demeuré étranger de nationalité, il trouvait qu'il y avait de plus en plus d'étrangers dans le monde. L'étranger était son compatriote secret. Les papiers n'avaient guère d'importance. Difficile alors d'expliquer en quoi il se sentait intimement français et géologiquement occidental. Plus son étrangeté paraissait inquiétante, moins il avait le goût de la défendre. En un sens, ça le rassurait.

Rien ni personne ne l'aurait fait renoncer à son nom de Laredo, orthographié sans accent, affectation plus que coquetterie dans un monde où l'on n'a de cesse de se distinguer, les semblables l'étant toujours trop, au goût de chacun. Sans avoir nécessairement recours à un titre ou une particule, un signe suffit.

D'autant plus facile à porter qu'il ne heurtait pas l'ouïe, son patronyme évoquait simplement une lointaine Espagne dont peu se doutaient qu'elle avait partie liée avec l'Inquisition. De toute façon, chez les siens, le prénom importait plus que le nom puisque lui seul attestait vraiment la lignée : son grand-père s'appelait Rémi et avant lui son propre grand-père, tradition dont il ne saurait jamais si elle prenait sa source chez un aïeul mélomane.

S'il ne s'étendait pas volontiers sur le sujet, Rémi avait parfaitement intégré ce passé. Chez les siens, on en avait toujours parlé. La grande expulsion de 1492 appartenait à leur imaginaire au même titre qu'une page de l'album de famille. Juste de quoi lui donner une acuité particulière à l'univers des ténèbres et au monde des défunts sans que cela ne devînt jamais une prédisposition au tragique, comme chez certains de ses amis dont la famille avait été décimée par la déportation. Pourquoi les uns et pas les autres? Le temps n'explique pas tout. Les Juifs, ça reste un mystère, même pour eux.

À l'opposé de sa femme, qui était cernée par des vivants, Rémi s'obsédait de la présence des morts. Nul besoin de passer le pont pour aller à la rencontre de ses fantômes : ils s'étaient déposés en lui, phénomène inévitable à force de guetter la trace des êtres et l'ombre des instants sur des photos jaunies. On le découvrait parfois effondré à l'idée que certaines heures de sa vie ne ressusciteraient jamais. Il ne se faisait pas à l'absence de ceux qu'il avait aimés, à ce caractère définitif. Ça devait être ça, la maladie de la commémoration familiale permanente, le diaspora blues. Pas un jour sans une pensée pour eux, mais à quoi bon s'épuiser dans le souvenir, ça ne sert à rien puisque tu ne peux rien y faire, c'est perdu d'avance, cesse de t'exténuer dans les réminiscences ou tu finiras par attraper le cancer de la mémoire, Marie lui répétait ça régulièrement, sans trop y croire.

Un bloc de mélancolie, c'est ce qu'il était devenu. Mais une mélancolie active, qui l'empêchait de se laisser engloutir par les lames de fond de l'instinct de mort pour le retourner comme un gant afin de transformer en énergie créatrice cette aspiration vers le néant. Son humour décalé le sauvait, un regard ironique sur le monde et une dérision souriante en toutes choses. Mais ça ne changeait rien quand il se retrouvait face à lui-même. Une force sourde l'empêchait de sombrer dans une remise en cause radicale du monde, tentation suprême des désenchantés.

Les ratures dans son carnet d'adresses, anormalement nombreuses pour un homme de quarante ans, étaient les témoins muets de cette douleur. Il le relisait parfois comme on le ferait d'un mémorial des bonheurs obscurs. Huit ans après la disparition de son père, il se surprenait encore, dans les moments de désarroi comme dans les instants de joie, à composer son numéro de téléphone à son bureau pour les partager avec lui, comme avant ; généralement, il raccrochait avant même la sonnerie et rougissait de l'incongruité de son réflexe. Alors la honte s'effaçait devant le chagrin, car le travail du temps n'avait pas entamé la peine.

La légèreté lui faisait défaut, mais comment être léger quand l'inquiétude l'emporte trop souvent sur l'insouciance ? Quoi qu'il fît, sa légèreté à lui sentait l'effort. Dans tous les cas, Marie lui en faisait le reproche, n'en déplorant que le reflet superficiel, une sorte de tristesse en société. Leur petit monde la relevait inmanquablement comme si elle s'adressait à eux, ou qu'ils en fussent la cause. Il se réconcilia avec lui-même le jour où il réussit enfin à rester sourd à ces remarques.

La délivrance lui vint de la révélation de l'âme portugaise, cette étrange mélancolie sans tragédie qu'il adopta pour blason de sa propre sensibilité par la vertu d'un mot, d'un seul, le doux mot de *desassossego*. La traductrice qui inventa de le transporter en français dans cet au-delà de l'inquiétude qu'est l'intranquillité libéra Rémi d'un poids qui menaçait de l'écraser. Intranquille, voilà ce qu'il était profondément et il ne lui déplaisait pas que les grands dictionnaires n'en fissent pas mention. Alors seulement il se découvrit des trésors naturels de légèreté.

En somme, Rémi ne semblait pas doué pour le bonheur officiel, quand Marie ignorait le sentiment tragique de la vie. Elle était la précision faite femme, alors qu'il se réalisait dans le flou. Plus elle s'ancrait dans le réel, plus il se réfugiait dans le rêve. Il était encore dans l'avant-goût quand elle s'épanouissait déjà dans l'arrière-goût.

Il aimait les questions, et elle les réponses, mais seuls les sots s'imaginaient que cela les rendait complémentaires. Ces héritiers étaient également attachés à leur mémoire archaïque, mais ce n'était pas la même ; il n'y avait que leur expérience du désert et de l'état de minoritaire pour les rassembler. Il fallut que passent les années de bonheur sans nuage pour qu'à l'issue d'une saison de crises, un soir de grande détresse, ils se demandent autour de quel projet ils avaient bien pu sceller leur union.

Chacun vivait à son rythme biologique. À la veille des vacances, c'était toujours la même histoire. Il hésitait encore à voix haute entre le Morbihan et la Mésopotamie quand elle avait déjà réservé les billets de chemins de fer pour Cap-Ferret. Comment deux êtres aussi dissemblables avaient-ils pu se trouver, s'aimer et s'unir sinon pour des motifs invisibles ? En un sens, c'était plutôt rassurant puisqu'il n'est de véritable harmonie que celle qui ne saute pas aux yeux. Toute la vulgarité du monde résidait là, justement, dans le triomphe du visible sur l'invisible. Raison de plus pour le préserver et le défendre dans l'ultime pré carré de ses intimes valeurs. Rien ne lui paraissait plus précieux que ce mystère.

Longtemps il n'avait pas voulu en savoir plus. S'il avait remonté l'étonnante courbe de leur vie pour explorer leur histoire, il aurait sans doute mis à nu un réseau de conflits. Sauf qu'à l'issue de cette journée pas comme les autres, Rémi prenait conscience qu'on ne peut vivre impunément en exil de soi-même. Quand vient le moment où la façade se lézarde, et que les lustres du salon de musique tremblent avant de s'éteindre, c'est signe que les fondations vont craquer à la faveur de ces riens qui changent tout. On se trouve soudain désarmé devant le séisme de la vérité.

Marie ouvrit un œil, puis les deux. Sa fraîcheur témoignait de son éveil.

« Tu m'en veux ? lâcha-t-elle dans un murmure.

— Ce que tu es en train de faire à cette femme est impardonnable. Tu vas mettre sa vie à nu et la livrer aux chiens. C'est indigne de quelqu'un comme toi. Je te souhaite sincèrement de gagner, mais pas comme ça.

— Ta compassion pour cette inconnue, il y a là quelque chose qui m'échappe...

— La compassion, c'est d'abord l'oubli de soi, répliqua-t-il sèchement. Je comprends que cela te soit étranger.

— Parfois, je me demande si, de nous deux, ce n'est pas toi le plus chrétien. Elle est tout de même fautive, non ? »

Au ton qui était désormais le leur, on sentait que la tension montait. Marie avait encore vu juste car il se sentait secrètement solidaire de toute femme en faute. Elle ramena brusquement les couvertures jusqu'à son menton et se retourna comme on se renfrogne. Rideau. Alors Rémi se coucha pour de bon. Assis sur le rebord du lit, alors qu'il retirait ses pantoufles, il précipita d'un geste ses mains aux oreilles. À nouveau un bourdonnement l'envahissait, prémisse d'un patchwork de bruits, cette maudite sonate indistincte, des accords de piano à lui faire haïr le piano, cette musique qu'il entendait se mêlant à cette musique qu'il croyait entendre. Quelque chose de pire encore qu'un concert parisien en plein hiver dans une église non chauffée programmant une suite en *la* de François Couperin pour basse de viole, clavecin et quintes de toux en rhinathiol majeur.

La voix de Marie, dans son dos, le ramena aux réalités. D'autant qu'elle avait adopté le ton de celle qui comprend le septième commandement, « Tu n'adultéreras pas », comme l'article 7 de son propre code pénal. Ils n'avaient pas droit à la faute, ni l'un ni l'autre, en vertu d'un règlement qu'elle avait institué un soir de dîner aux chandelles sur les rives de la Méditerranée, avec cette gravité légère qui sied à l'énoncé de grands principes aux accents d'autant plus définitifs qu'on espère n'y avoir jamais recours. Au plus petit écart, à la première faute, au moindre accroc dans le contrat, elle le mettrait dehors à jamais sans autre forme de procès. Autrement dit le châtiment maximal à défaut de peine capitale. Cette attitude reflétait mieux que tout sa fragilité d'acier. Au cas où il en aurait douté, elle tenait la trahison pour le fondement tragique de tous rapports entre humains.

« Rémi, tu as une double vie ? » lui demanda-t-elle.

La réponse de Rémi resta en suspens, alors que son regard était accroché par une vision d'horreur. Ses vêtements, posés sur sa chaise. Il était tellement obsédé par les empreintes d'ongles dans le dos qu'il en avait oublié les traces de fond de teint sur la couture de son slip blanc. Il se leva et retrouva son sang-froid en le déposant nonchalamment dans une corbeille en osier.

« De toute façon, dès lors qu'on a une vie intérieure, on mène déjà une double vie », dit-il sur un ton qui se voulait le reflet d'une sagesse ancienne.

Là-dessus, il éteignit la lumière en remerciant secrètement un monde fou, le greffier du palais de justice, la nouvelle collaboratrice du cabinet Rabaut-Pelletier, la responsable des parents d'élèves, la domestique qui comprend tout de travers, d'avoir si parfaitement épuisé les réserves d'énergie de sa femme qu'elle n'ait pas été prise ce soir-là d'une irrépressible envie de faire l'amour.

3

En pénétrant le lundi dans son bureau de l'Institut d'art et de paléontologie, Rémi le considéra pour la première fois d'un autre œil. Il caressa une pile de dossiers ficelés à la diable, le verre publicitaire regorgeant de crayons, le cendrier en terre cuite, l'ordinateur déjà hors d'âge et le téléphone de l'ère vétéro-testamentaire, comme s'il était ému de récupérer ses objets familiers, heureux de retrouver son monde à l'issue d'un long voyage. La séparation l'avait marqué. De fait, il était sonné.

Il dépouilla machinalement sa correspondance, déposée comme toujours près de la lampe et déjà désossée par son assistante. De la paperasse administrative, quelques doléances, une réclamation. Juste du courrier qui appelait du courrier, des signatures en perspective, une activité indispensable dont il ne resterait rien, le travail en quelque sorte puisque, dans sa vie professionnelle, il trouvait ailleurs le sel de la recherche. Hors des murs, du moins de ceux-ci, dans les entrailles de la terre où des ours jadis venaient mourir, dans ces grottes qu'il fouillait en équipe avec des géomètres, des géographes, des climatologues. À eux l'analyse de la calcite et l'examen de la poussière, à lui l'étude du bestiaire sur la couche d'argile des parois, ces dessins au charbon de bois incroyablement maîtrisés qui sont l'art d'avant l'art.

Ici c'était son monde, là-bas son univers. Mais, dans une sphère comme dans l'autre, il se sentait déboussolé depuis l'avènement de l'ère de la mondialisation. Rémi se disait solidaire d'un de ses collègues qui vivait comme une tragédie personnelle le triomphe de la vision zénithale du satellite sur la domination multiséculaire de la perspective. À la buvette de l'Institut, surtout après dix-huit heures il est vrai, ils allaient racontant partout que lorsqu'on prendrait la mesure des dégâts de cette révolution, il serait trop tard.

Seule une enveloppe était restée fermée puisqu'elle portait la mention « Personnel ». Ce ne pouvait être Victoria. Pas son écriture. De toute façon, les timbres étaient américains. À l'intérieur, il y avait une carte postale de Laredo, Texas.

Armé d'une loupe, Rémi examina en tous sens cette chose désuète que la technologie n'avait pas encore rendue obsolète, la renifla puis la rangea auprès d'une autre carte envoyée de Laredo, province de Santander, dans le seul tiroir qui fermât à clé. Il les compara. L'espagnole, tout aussi anonyme, était revêtue d'une écriture nettement plus ferme que l'américaine. Sa graphie révélait une tout autre personnalité. Mais il flottait déjà trop pour se laisser envahir par ce mystère.

La bande magnétique de son répondeur téléphonique débitait des messages si anodins qu'il brancha le haut-parleur pour les écouter pendant qu'il rangerait des livres dans la bibliothèque.

« Monsieur Laredo, vos encadrements sont prêts, vous pouvez passer les prendre quand vous voulez, nous fermons à dix-neuf heures »... « Rémi, n'oublie pas d'aller chercher Virginie à la danse. À ce soir, chéri »... « Allô Rémifasollasiredo ? Ici le maître de musique, qui vous espère demain à l'heure du déjeuner pour vous administrer une leçon, non sans blague, tu es libre pour une partie de billard ?... »

Parfois, ils étaient si attendus qu'il les annulait sans attendre leur achèvement. Jusqu'à celui de Victoria, celle qui ne se présentait jamais, par prudence, et parce qu'il eût été inconcevable qu'il ne la reconnût pas au son de ses premières syllabes, lui qui disait percevoir ses couleurs et son odeur par la grâce de son souffle. Immédiatement, il débrancha le haut-parleur et décrocha son téléphone.

« ... Pardon, mon cœur, pour mon rire stupide tout à l'heure... Tu me manques déjà... Si j'ai le temps de te laisser un autre message après ma consultation, je le ferai... Je dois raccrocher parce qu'un agent, au feu rouge, n'arrête pas de me fixer et je sens que je vais prendre un PV... Je t'embrasse... tendrement... À mardi, où tu sais... »

Rémi réécouta le message puis l'effaca comme les autres. Il tapota le clavier de son ordinateur, soupira en jetant un coup d'œil aux messages accumulés dans le y-mêle et refusa aussitôt de se soumettre à cette forme de harcèlement. Il maintenait ainsi, pour son hygiène personnelle mais sans ostentation, quelques îlots de résistance à la tyrannie de la communication. Il en faisait d'autant moins état que son refus était sélectif et qu'il n'avait nulle envie de s'expliquer, donc de se justifier.

Du fond de sa poche il exhuma un méchant bout de papier, si froissé qu'il le déchiffra à grand-peine. http://net.indra.com/~shredder/restore/index.html. C'était le code d'accès à l'un des sites américains spécialisés dans la restauration du prépuce et la sexualité des verges endommagées. Sans l'Internet, vestale du siècle à venir, il n'aurait jamais imaginé qu'une bibliographie si riche, précise, variée et détaillée pût être consacrée à un sujet aussi insolite. Comme s'il n'y avait pas de préoccupation plus mondiale pour l'internaute mâle que l'état alarmant d'un pénis arcimboldesque. De toute façon, il n'aurait jamais osé demander de tels livres à une bibliothécaire, et moins encore à une libraire, ne fût-ce que pour ne pas avoir à affronter un sourire en coin digne d'une préparatrice en pharmacie insistant à voix haute devant tout le monde : « Les préservatifs, quelle marque ? »

Quand les premières images apparurent sur son écran, Rémi fut pris d'un mouvement de recul. À croire qu'il s'attendait à voir surgir un dessin animé des années cinquante en lieu et place d'un défilé de membres tuméfiés. L'entrée inopinée d'une collègue lui fit éteindre précipitamment l'ordinateur.

« Tu as tort ! lanca-t-elle d'autorité tout en s'asseyant sur sa grande table de travail, à l'autre extrémité de son écran, comme pour lui faire contrepoids. Tu vas le détraquer. Ça se bichonne, le matériel du service public. Le personnel aussi, d'ailleurs...

— C'est solide, ces vieilles bêtes, fit Rémi en tapotant la machine, feignant l'indifférence aux sous-entendus. Tu ne frappes jamais avant d'entrer ?

— Oh, ça va... Tu as l'air tendu, Rémi, et sombre. Qu'est-ce qui se passe ? C'est encore ta femme qui te les gonfle ou bien...

— Je n'ai pas encore vu le tableau ni les horaires, mais j'ai cru comprendre que je remplaçais Berger toute la semaine, alors tu m'excuseras mais j'ai à faire. »

Depuis cinq ans qu'il était intégré à l'Institut en qualité de chercheur, Rémi devait contractuellement alterner l'enseignement et le terrain. La pédagogie n'était pas son fort mais il se pliait de bonne grâce à l'exercice. N'y aurait-il pas sacrifié que son statut en aurait été compromis. Or rien ne l'aurait fait renoncer à ses chères campagnes de fouilles. C'est là qu'il s'épanouissait. Le chercheur en lui l'emporterait toujours sur le muséographe. Dans les grottes, il se sentait à l'abri d'une société qu'il fuyait de tout son être. Vivre ainsi dans les viscères de la terre lui donnait un sentiment ineffable. Celui d'être secrètement à l'écoute de la rumeur archaïque d'un monde que l'on aurait cru enfoui pour l'éternité.

L'amphithéâtre était anormalement bondé. Le professeur Laredo ne nourrissait guère d'illusions sur les motivations de son public. Outre les mordus du premier rang, et les séductrices du second rang, un grand nombre d'étudiants avait été attiré ce jour-là par le tapage médiatique organisé autour de son affaire. Son côté reine d'un jour réveillait l'instinct de midinette qui sommeille en chacun, y compris parmi les esprits les plus critiques. S'il est vrai que l'on sera tous célèbres cinq minutes dans notre vie, lui, il les vivait — encore qu'il s'en fût bien passé. Malgré lui, il était devenu le héros d'une cause qui le dépassait. Mais il ne pouvait plus reculer.

« ... Au moins faut-il se mettre d'accord sur l'essentiel, et considérer l'art rupestre soit comme une écriture avant l'écriture et tous ces dessins comme des éléments d'un langage, soit au contraire comme une infinie diversité de systèmes de représentation. Tout dépend si l'on accorde la priorité aux divergences ou aux convergences, à ce qui réunit ou à ce qui sépare ces signes trouvés dans des grottes partout dans le monde. Voilà, c'est tout pour aujourd'hui, merci à tous et à chacun. La prochaine fois, nous nous pencherons sur la datation au carbone 14 de deux figures pariétales de la grotte du Portel, dans la commune de Loubens, en Ariège. Il ne vous est pas interdit d'y réfléchir pendant la semaine... »

La grande horloge venait de marquer seize heures. Il éteignit le projecteur et rangea ses affaires. Il était attendu par un groupe d'une dizaine de journalistes, qu'il fit aussitôt asseoir dans l'amphithéâtre déserté. Abandonnant, avec son estrade, l'autorité et le magistère qui y sont attachés, il prit place parmi eux, tandis qu'un technicien chargeait un nouveau bac de diapositives.

« Vous avez tous eu le dossier. Vous êtes au courant de l'essentiel. Je voulais juste vous montrer quelques images sur écran géant. Après, je répondrai à vos questions. »

Le noir se fit. Dans un silence quasi religieux, qu'il évita soigneusement de parasiter par le moindre commentaire, des animaux envahirent le mur principal tandis que leur ombre portée s'incrustait tout autour, transformant l'arène en grotte. Les gens de la presse étaient si fascinés par le monde ressuscité sur l'écran que Rémi put s'abandonner quelques instants à sa propre rêverie.

Un regard circulaire lui donna l'étrange sensation de s'être transporté au fond d'une caverne, à laquelle il aurait accédé après avoir tâtonné dans une galerie, et de s'y épanouir avec un plaisir semblable à celui qu'il trouvait dans une autre caverne et une autre galerie, dont il était tout aussi familier, lorsqu'il laissait sa langue s'attarder sur les grandes lèvres de Victoria, lesquelles le renvoyaient inmanquablement à la vulve des vénus paléolithiques du fin fond des trous de l'Ardèche, alors qu'en fait ils se trouvaient allongés sur le canapé d'une maison de campagne, tout près de Paris. Jamais mieux que lorsque des images et des instants se superposent avant de se fondre l'un dans l'autre, il n'était sensible à la mémoire archaïque de l'animal qu'il avait été et de celui qu'il était encore. L'odeur intime de l'aimée le renvoyait instinctivement aux sanctuaires éclairés par la lumière vacillante des torches, et cette cathédrale géologique le ramenait à la matrice sacrée de Victoria. Magie des parois, mystère du trait. Dans ses deux mondes, le temps était aboli. Avant d'être proustienne, la madeleine est préhistorique, puisqu'elle désigne le site de cavernes en Dordogne où l'on a un jour découvert des vestiges de la civilisation du renne, cette ère du paléolithique supérieur dite depuis magdalénienne.

La séance s'acheva par un petit film catastrophe dans lequel, grâce à un montage virtuel, on assistait aux effets dévastateurs du mal. La montée des eaux, l'engloutissement du site, la domination des ingénieurs, l'arrogance de la technique, toutes ces forces coalisées par des hommes pour effacer la mémoire des hommes.

Sitôt la lumière rallumée, Rémi agrippa les journalistes sans même leur laisser le loisir de toucher terre.

Son ton était celui de la colère à peine contenue, ses gestes ceux de la révolte tout juste réprimée.

« Si rien n'est fait, tout cela sera détruit, laminé, anéanti. Pour toujours. La situation est désormais très claire. Après la découverte de cette richesse archéologique et artistique, et la demande d'inscription au patrimoine mondial de l'humanité, nous avons alerté la Sodexa, le consortium international à l'origine du projet de barrage. Et les ingénieurs. Et le ministère. C'était il y a quatre ans. Nos nombreux courriers l'attestent.

— Pourquoi n'avez-vous pas joint les réponses au dossier ? l'interrompit un journaliste en levant timidement le doigt, à croire que les lieux lui avaient fait retrouver naturellement d'anciens réflexes.

— Et pour cause ! Pas de réponse, ou des réponses dilatoires, ce qui est pire. Ils ont trouvé tous les prétextes pour traîner des pieds, remettre à plus tard. Ils n'ont pas cessé de se rejeter les uns sur les autres la responsabilité des dégâts annoncés. À croire que nul n'avait la haute main sur le réservoir arrière du barrage. Aujourd'hui, ils disent qu'il est trop tard. Que le contrat d'adjudication ne stipulait aucune obligation d'aide à la préservation de l'environnement. Que l'usine hydroélectrique est prête. Que l'inondation de la vallée est inéluctable. Que rien ne prouve la présence d'autres grottes ornées dans les contreforts de la voûte de béton. Que s'il fallait renoncer, ce serait un coup fatal porté à l'économie et à l'écologie de la vallée, de la région, du département et, pourquoi pas, du pays, un peu plus un peu moins... Sans une vigoureuse campagne d'opinion, on risque la mort en direct de tout ce que vous venez de voir.

— Et les mécènes que la Sodexa a convaincus de prendre en charge la réplique de la grotte ?

— L'"espace de restitution", comme ils disent ! Je suis allé les voir. Par curiosité. Ces grandes sociétés se fichent pas mal de l'enjeu. Je n'ai eu pour interlocuteurs que des directeurs de la communication et des publicitaires qui veulent galvauder ces œuvres d'art pour flatter une marque, c'est tout.

— Et leurs rapports d'experts ? Ils assurent qu'en vidant le barrage tous les dix ans, pour contrôler et consolider les roches gravées, celles-ci seraient conservées dans un état excellent. Ils s'engagent même à signer une convention…

— Pour qui vous prennent-ils quand ils vous expliquent que pour garder intactes des œuvres d'art, il faut les noyer ? Je suis prêt à vous emmener sur place et à vous prouver techniquement qu'ils minimisent le danger pour servir les intérêts de leurs commanditaires. Quand ces œuvres exceptionnelles, ce témoignage irremplaçable, seront englouties sous les eaux du lac de retenue, elles seront mortes. »

Rémi voulait réussir pour être à la hauteur de ce qu'il avait fait de plus grand. Mais rien ne lui paraissait dérisoire comme cette course contre la montre pour sauver des traces immémoriales de l'humanité. Le compte à rebours avait un aspect obscène. Quelques semaines pour quelques dizaines de milliers d'années. Quand il en prenait conscience, cette disproportion l'anéantissait secrètement, lui dont l'apprentissage avait été une école de la patience, où la lenteur passait pour la plus haute des vertus.

Le lendemain, Rémi se rendit comme prévu à la Maison Treillard, un restaurant en bordure du parc Montsouris. Ne connaissant personne dans ce quartier excentré, ils avaient l'illusion que personne ne les connaîtrait. Le décor était aussi traditionnel que la cuisine. Les chromos suspendus aux murs étaient tellement sucrés que rien qu'à les regarder on attrapait le diabète. Quelle que fût la saison, la patronne dépliait ses nappes vichy repassées par ses soins ; un plat de lentilles et un pot-au-feu figuraient « au jour » en permanence ; un honnête irancy, à défaut d'Épineuil, était vivement recommandé à qui voulait retrouver une table la fois suivante sans avoir à insister ; un feu de bois crépitait dans la cheminée avec plus ou moins d'ardeur suivant l'époque. La propriétaire des lieux vaquait à toutes les fonctions mais à son rythme, qui était encore celui de la province. C'était français comme on n'ose plus l'être à Paris.

Rémi arriva comme convenu à treize heures vingt. Quel que fût le restaurant, ils avaient pris l'habitude de décaler d'une vingtaine de minutes leur rendez-vous sur l'horaire habituel des repas afin que la plupart des clients soient déjà installés. Ainsi, entrant dans l'établissement l'un après l'autre, chacun avait le loisir de balayer la salle d'un regard panoramique pour y repérer un éventuel danger et, le cas échéant, s'en retourner aussitôt. Séparément. Car rien ne les glaçait comme la perspective d'être vus ensemble. Non qu'ils n'aient pas assez d'imagination pour échafauder un scénario cohérent. Mais quelle que fût sa pertinence, leur rencontre hors des cadres habituels de la mondanité instillerait le soupçon de part et d'autre. Le poison du doute rongerait leurs couples. Dans le meilleur des cas, cela passerait une fois, pas deux. Il ne fallait pas gâcher cette carte. Pour futile qu'elle pût paraître, une telle préoccupation n'en était pas moins vitale à leurs yeux. Elle avait suscité de nouveaux réflexes, appelés à devenir naturels par la force des choses. Ainsi, outre ce regard circulaire qui se voulait légèrement scrutateur, ils avaient l'habitude, en pénétrant dans un restaurant, de passer en revue, avec une discrétion éprouvée, les noms inscrits sur la page des réservations du grand agenda. Juste pour voir s'ils se trouvaient en terrain de connaissances. Ce que c'est de s'aimer quand on est mariés, mais pas ensemble.

Rémi arriva le premier. Il s'installa à la seule table située dans un recoin, le plus loin possible de la rue, comme s'il voulait se fondre dans le mur à force de s'y coller. Puis il s'absorba dans la lecture du *Henri Matisse, roman,* particulièrement les pages consacrées par Aragon à l'attache des seins de la belle Transtévérine, l'envie barbare de déchirer des mains cette poitrine et le désir irrépressible d'en libérer la gorge de ses secrets et de ses impudeurs.

L'horloge indiquait deux heures moins le quart de l'après-midi, ou à peine un peu plus, et Victoria n'était toujours pas là. Probablement des problèmes pour se garer. Il posa son livre en cornant une page, observa les clients des tables alentour et leur supposa des biographies, sport auquel il s'adonnait généralement non sans délices avec Marie dans les hôtels de leurs vacances. On décortique les manies et les mœurs des gens et on en déduit une vie secrète sans crainte d'être démenti, puisqu'on ne les connaîtra jamais.

En face, quatre hommes d'affaires en uniforme de tueurs civilisés avaient chacun pris soin de déposer leurs armes sur la table : agendas électroniques, téléphones portables et étuis à cigares. Des clones qui jouaient aux petits maîtres du monde. Le spectacle qu'ils offraient pouvait émouvoir tant leur arrogance confinait à de la naïveté.

À tribord, un vieux monsieur pathétique, le visage chiffonné et l'expression désespérée de quelqu'un qui aurait cherché trop longtemps l'intérieur de la Mongolie extérieure ; il était en proie à l'abjecte solitude, non celle qu'on choisit mais celle qu'on subit. De toute évidence, sa situation ne reflétait pas la victoire d'un misanthrope mais l'abandon d'un veuf, ou l'isolement d'un célibataire. Personne à qui parler, rien à quoi parler. Pas un journal, pas un livre, rien. Qui dira jamais la gêne de l'attablé qui ne sait où disposer ses yeux, et qui, lorsqu'on les croise, les détourne avant de les baisser. Ne lui reste plus alors qu'à entrer en lui-même en attendant l'arrivée du plat. Cet homme marmonnait pour se donner l'illusion de la conversation.

Un peu plus loin, un autre client, plus jeune, était attablé avec un adolescent. Leur ressemblance témoignait de leur filiation. On pouvait imaginer une sortie d'école, un jour de garde, l'ordinaire du divorce. Pourtant, malgré ce que leur réunion devait avoir d'exceptionnel, ils avaient l'air étrangers l'un à l'autre. Pas un mot d'échangé. Pas même de récriminations. Juste une morne indifférence, scellée par la passion avec laquelle le fils s'absorbait dans la manipulation de son jeu électronique tandis que le père cherchait à composer avec son embarras. Par instants, il semblait encore plus pathétique que le vieil esseulé.

Plus loin encore, un couple d'âge mûr qui ne se

supportait guère. Ils évitaient de se regarder, une prouesse difficile à tenir quand on se fait face. Elle, nerveuse et impatiente ; lui, si lent dans ses gestes et ses réactions qu'il devait lire le *Journal du dimanche* à partir du mercredi. On sentait qu'il prenait de grands risques à déjeuner ce jour-là avec une femme mariée. La sienne.

À bâbord, au fond contre le mur, un couple d'amants, à n'en pas douter. Ils étaient trop près l'un de l'autre et trop souriants pour qu'il en fût autrement. Trop près du mur aussi. Tous les mêmes. Une certaine naïveté réunit les illégitimes. Leur instinct les porte naturellement au culte des zones d'ombre. Installés en plein milieu de la pièce, ils s'y seraient fondus plus sûrement qu'en s'incrustant dans le mur, un réflexe de résistant de la première heure qui les désigne mieux que nul autre. L'intensité et la fixité de leurs regards les trahissaient autant que leurs longs silences. Seuls des amants sont capables de ne pas se parler durant un temps infini sans que cela ne soit jamais pesant.

Non loin d'eux, une dame d'un âge respectable et une adolescente, probablement une grand-mère et sa petite-fille, tout à leur causerie hebdomadaire. Une douceur de vivre d'un temps révolu se dégageait de leur tête-à-tête. Tout, dans la grâce de leur élocution comme dans la délicatesse de leurs gestes, exprimait une infinie tendresse. On aurait pu leur envier une si rare légèreté.

L'air de rien, ils étaient hors du monde la durée d'un repas. Nul n'aurait pu inventer plus belle manière de résister au temps.

Que des habitués. Ils auraient pu avoir leur rond de serviette. Peut-être l'avaient-ils, dans la tête. Par les signes qui se dégageaient d'eux, ils reflétaient une appartenance assez évidente. Mais dès lors qu'on voulait bien la mettre en doute, un autre monde s'offrait.

Ailleurs, ils auraient été des notables ou des bourgeois. Alors que là, ils incarnaient de braves gens, et Rémi leur conférait une émouvante humilité par la vertu du regard qu'il posait sur eux. Il aurait pu passer des heures dans l'observation de ce spectacle, tant s'en dégageait un mystère d'une rare poésie. À croire que l'homme de la rue n'est jamais anodin, que chacun mérite une biographie, et que les existences apparemment les plus médiocres, les vies les plus conventionnelles, révèlent de fascinants abîmes à qui sait les voir.

Quand l'horloge sonna deux coups, Victoria n'avait toujours pas donné signe de vie. Rémi interrogea la patronne. Personne n'avait appelé. Il observa quelques instants les mouvements de la rue par-dessus les rideaux de dentelle mais n'y remarqua pas la voiture de funeste mémoire. Deux places désespérément libres, juste devant le restaurant, dissipèrent ses derniers espoirs.

Il lui était impensable de déjeuner seul. Ni le cœur ni l'envie. Si l'attente ne lui avait pas déjà coupé l'appétit, la perspective d'entrer à son tour dans le décor dont il venait de se faire l'attentif spectateur l'aurait poussé à s'en aller. En réglant ses consommations, il s'excusa d'avoir indûment occupé une table. Particulièrement bienveillante, la patronne se garda de tout commentaire, délicatesse qui dut lui coûter.

Sur le chemin du métro Glacière, Rémi s'arrêta à la première cabine téléphonique de l'avenue Reille. Une femme l'occupait déjà. Manifestement, elle était en pleine conversation et n'avait pas l'intention d'y renoncer de sitôt. Son sourire à peine réprimé, son regard rêveur, ses mimiques indécentes révélaient qu'il ne s'agissait pas d'un entretien professionnel. Rémi prit son mal en patience, lui tournant ostensiblement le dos et s'appuyant contre l'une des parois. Cinq minutes passèrent. Les mains dans les poches, il faisait les cent pas. En vain. Alors il se plaça exactement face à elle, et posa ses mains à plat sur la vitre à la hauteur de sa poitrine ; sourcils froncés et lèvres pincées, il la fixa de son regard le plus sombre, de manière que son comportement n'évoquât plus la colère mais la menace. Elle tenta de se soustraire à sa vue mais, comme il demeurait stoïque, elle ne put y échapper. Désarçonnée puis effrayée, elle raccrocha si précipitamment qu'elle faillit en oublier sa carte téléphonique.

L'invention du portable aura au moins renouvelé les perspectives de l'adultère. De Victoria, Rémi ne connaissait que ce numéro-là. Le seul qui lui fût strictement personnel. Il ne lui aurait servi à rien de posséder celui de son domicile. Quant à celui de son cabinet, auquel il avait eu recours à plusieurs reprises, il avait dû y renoncer définitivement après que l'assistante de Victoria eut discrètement manifesté des soupçons sur l'identité et les intentions de ce drôle de patient qui se réfugiait derrière un « C'est personnel » qu'elle jugeait de plus en plus cassant.

Ça ne répondait pas. À la troisième sonnerie, il fut branché sur un répondeur-enregistreur. Pas question de laisser un message, c'eût été inutilement dangereux. Il essaya à nouveau, bien que la voix du répondeur eût éliminé toute possibilité d'erreur, mais sans plus de succès.

Il hésita un instant à rentrer par Montsouris. L'endroit

lui apparut bizarrement comme un de ces lieux où l'esprit est soudainement muet car tout s'est tu autour de lui. Le parc semblait s'être métamorphosé en désert. Sa traversée en solitaire lui parut une épreuve sans nécessité car il n'y avait rien au bout.

Une fois rendu à son bureau de l'Institut, Rémi se précipita sur son répondeur. Victoria ne s'était pas manifestée. Comment ne pas s'en vouloir d'être ainsi assujetti à cette machine des plus banales, cet objet des plus dérisoires, le plus commun des lieux communs, un téléphone. Même pas un bel appareil en bakélite, d'un noir de jais, aux formes apaisantes et relié au reste du monde par un cordon ombilical, mais un vulgaire petit gadget nomade et bientôt jetable. De quoi se sentir honteux. Des heures auraient pu s'écouler dans la contemplation de cette chose stupide d'inertie. Pourtant, elle vous sonne et vous lui obéissez. Quand elle ne vous sonne pas, c'est pire encore. Rémi en était le captif, quitte à ce que cet excès de vulnérabilité démente sa réputation d'athlète de la mélancolie, douce amie à la silhouette gracile mais aux semelles de plomb. Il vivait dans l'attente, terra incognita de l'humeur où tout devient disproportionné. Pour autant, il ne jouissait pas encore du regard du prisonnier, si obstrué par le mur qu'il parvient à porter sur l'infini pour y gagner une sorte de sagesse.

Il en fut ainsi durant plusieurs jours. S'il avait travaillé loin de Paris, fait une campagne de fouilles ou de relevés, elle n'aurait de toute façon pas pu le joindre. Mince consolation. Il était là et prenait la mesure de son impuissance, la plus absurde de toutes, celle qui surgit quand tout arrive mais que rien ne se passe.

À la fin de la semaine, alors que sept jours s'étaient

écoulés depuis l'incident tragi-comique du parking, il n'était plus qu'un bloc d'angoisse. Le doute fait homme. Prêt à interpréter le moindre signe, à spéculer sur le plus infime indice. Finalement, il se résolut à laisser un message à Victoria, anonyme bien sûr, autant que peut l'être une voix que plusieurs personnes auraient pu identifier aussi clairement qu'une signature graphique. « Victoria, que se passe-t-il ? Je t'ai attendue mardi pour déjeuner, comme convenu... Depuis, plus de nouvelles... Manifeste-toi d'une manière ou d'une autre... Par une fusée éclairante au-dessus du XVIIe arrondissement ce soir à une heure, par exemple... Non, je plaisante, écris-moi, appelle-moi. Dis ce que tu veux, mais dis-le... Je t'en prie... »

Dans la nuit du vendredi au samedi, alors qu'il n'arrivait pas à trouver le sommeil, il se leva sans faire de bruit et s'assit dans la pénombre du salon. Sans lire, sans écouter de musique, sans rien qui l'empêchât de se rassembler. L'épreuve lui était indispensable tant il se sentait partir en morceaux. La nuit lui offrait sa protection.

Tous les scénarios, du plus pertinent au plus invraisemblable, se succédaient dans son esprit embrumé. Ne lui restait qu'à tirer un à un les fils de la tapisserie de son cerveau. Son imagination faisait preuve soudainement d'une énergie délirante. Il s'empara d'un calepin et d'un crayon pour en dresser le catalogue irraisonné, attribuant à chacun un dessin mnémotechnique bien dans sa manière. La prudence et le travestissement étaient-ils devenus sa seconde nature ?

Un surcroît de travail ? Il dessina un mégacéros. Quand bien même, cela ne l'aurait pas empêchée de s'isoler deux minutes en deux jours. Ou alors ce serait de la perversité par désinvolture et il ne l'en croyait pas capable.

Un retour de culpabilité ? Une antilope. Pas la première fois. Dans ces cas-là, elle s'effaçait brièvement, avant de revenir vers lui. La moindre crise avec son « époux », comme elle disait parfois, fût-ce sur ces dérisoires détails domestiques qui mènent si sûrement à la séparation, avait raison de ses cas de conscience. Eux n'étaient pas du genre à ficher en l'air une famille parce que l'un ne supportait plus que l'autre ne rebouche jamais le tube de dentifrice.

Alors quoi, un troisième homme ? Un aurochs. Il ne voulait pas y penser, tant l'idée d'être remplacé lui était insupportable. Pourtant, le spectre de cet autre le hantait. Il n'avait jamais jalousé son mari car, avec lui, elle payait sa dette naturelle. Tout autre ne pouvait être considéré que comme un rival. Le syndrome de Chabert, appliqué à Victoria, commençait à le tarauder : on espère sa résurrection mais on ne se réjouit pas de son retour car ses révélations provoquent désordre et désarroi.

Victoria n'aurait pas poussé la cruauté mentale jusqu'à s'effacer définitivement de sa vie après y avoir tenu une telle place, sans un mot d'explication. Pas elle, pas avec lui. Quoique... Plus rien n'était sûr. Il faut dire que le terrain était fertile. Le moindre indice favorisait l'angoisse du revirement. Les symptômes s'associaient en lui avec un naturel de malfaiteur, d'autant qu'il les accueillait bien volontiers. Au vrai, Rémi passait auprès de ses amis pour un hypocondriaque des troubles de l'esprit. Il médicalisait en permanence tout ce qui lui advenait d'inquiétant, quoiqu'il consultât plus souvent les dictionnaires spécialisés que la Faculté. Cette fois, il se sentait comme jamais l'âme cernée par une conjuration de névroses. Le colonel Chabert et le baron de Münchhausen y campaient joyeusement en attendant d'être rejoints par leurs nombreux amis.

Mais non, un tel épilogue eût été indigne de leur histoire. Au chagrin se serait substitué l'écœurement, qu'aurait suivi une insondable déception. La fin d'une liaison n'est pas tenue d'être médiocre. Elle peut même ne jamais advenir. Longtemps après une passion, il est des amitiés amoureuses qui ne s'achèvent qu'avec la mort.

Inconstante, elle l'était juste assez pour passer sans prévenir du registre de la séduction à celui de la frustration, de la tendresse à l'abandon, et retour, mais n'était-ce pas l'ordinaire des rapports amoureux ?

Une première fois déjà, par le passé, Victoria avait pris ses distances. Rémi n'avait pu déterminer réellement si, plus labile qu'il ne l'eût crue, elle s'était éprise d'un autre ou si, rattrapée par un remords mal enfoui, le mensonge lui était devenu aussi invivable qu'elle le prétendait, elle qui s'en était jusque-là apparemment si bien accommodée. Il n'est pas envisageable de vivre heureux dans le mensonge, à moins d'être deux en un, justement. L'un attaché, l'autre détaché. Elle s'était éloignée au point de ne plus l'appeler que sous sa pression insistante. Leurs rendez-vous étaient régulièrement repoussés sous les prétextes les plus divers, réceptions imposées par son mari, difficultés scolaires des enfants, agenda surchargé à son cabinet, toute la litanie des mille et un devoirs et obligations qu'elle savait d'ordinaire si bien maîtriser et qui soudain, bizarrement, l'accaparaient. Il avait dû la harceler pour obtenir enfin une explication qui ne fût pas un faux-fuyant. Une lettre de deux pages égrenant des motifs qui se voulaient des raisons, aussitôt lues aussitôt oubliées car elle avait mis les petits mots dans les grands, mais qui s'achevait par «Je ne t'aime plus.»

Quelque temps après, elle était revenue vers lui. Sans plus d'explication. Or, ce qu'on ne dit pas devient un secret, un lieu où s'enracinent la honte et la peur. Mais elle avait vite compris que, désormais, il y aurait toujours cette différence entre eux, que l'un avait fait du mal à l'autre. Un jour, dans un restaurant, quand cette douleur affleura à nouveau au détour de la conversation, elle avait baissé la tête, lui avait pris et baisé la main à plusieurs reprises avec ferveur et, abdiquant toute fierté, renonçant à toute pudeur, avait imploré sa clémence. Pardon, pardon, pardon... Ne l'aurait-il pas retenue qu'elle se serait agenouillée entre les tables sous le regard effaré des clients. Il pourrait pardonner mais il lui serait impossible d'oublier.

Les mots tracés sur le papier, plus encore que les paroles, restent gravés dans l'arrière-pays de la mémoire. Surtout des mots aussi puissants et rares. Certaines phrases, on aimerait les gifler.

Il se connaissait des adversaires et des ennemis, il savait quelles inimitiés et quelles critiques il suscitait dans certains cercles, il pouvait même compter sur la haine sourde et tenace de quelques irréductibles, mais nul n'avait encore jamais éprouvé l'impérieuse nécessité de lui dire qu'il ne l'aimait pas. Et moins encore de le lui écrire. Souvent les propos s'envolent; la lettre est olographe. Un sentiment passe pour être plus médité, quitte à paraître moins spontané, quand on l'a couché sur le papier. La lettre de Victoria avait tout du testament : entièrement écrite à la main, vierge de toute rature, datée et signée. Comme si la testatrice était parfaitement consciente de la forme sacramentelle de son texte. Ça ne se fait pas. Et il fallait que cette peine lui fût infligée par celle qui lui importait plus que tous.

On ne dit pas ça, et on ne l'écrit pas davantage. On se tait. Ou on disparaît.

Depuis, de Victoria il attendait tout mais n'espérait plus rien, du moins le croyait-il. Le sujet avait été évacué. Il y aurait toujours cela entre eux. Puisqu'elle l'avait fait une fois, pourquoi n'en serait-elle pas capable à nouveau ? Son esprit et son corps le comblaient, mais il nourrissait des doutes sur la qualité de son âme. Rien ne démentait en elle une mentalité d'agent double. Après tout, leurs deux années de vie commune dans la clandestinité la plus opaque qui soit, non pour cacher mais pour protéger, les avaient fait passer maîtres dans l'art de la dissimulation. Rémi était bien placé pour savoir que Victoria mentait avec aplomb, et vice versa. Ils s'adaptaient différemment à la déloyauté, et cloisonnaient leurs existences avec plus ou moins de réussite. Mais jamais ils n'auraient songé à élever la trahison au rang d'un des beaux-arts, à la manière des cinq de Cambridge — ces espions voyaient une sorte de chef-d'œuvre dans l'accomplissement de leur duplicité, et une consécration historique dans sa révélation publique.

Puisqu'elle mentait à son mari, et par conséquent au reste du monde, il pouvait supposer qu'elle lui mentait à lui aussi. Peut-être avait-elle échafaudé ce scénario pour s'évader de tout et de tous avec un autre. Refaire sa vie ailleurs, là où on n'est rien pour personne. Sans aller jusqu'à s'installer à Caracas, combien de fois n'avait-elle rêvé à voix haute de vivre dans un quartier de Paris ou une petite ville de France où elle ne connaîtrait absolument personne. Un lieu au cœur de la cité mais hors du monde. Un de ces finistères où elle ne représenterait rien socialement, n'aurait de sens pour personne, ni d'intérêt pour quiconque. Où elle ne serait précédée d'aucun de ces signes qui préméditent le jugement, voiture, vêtements, coiffure, langage... Une parfaite étrangère jouissant de son anonymat. Ni passé ni futur, sérénité de l'amnésique sans projet. N'était-ce pas une manière comme une autre de changer de contemporains ? Une fuite hors du monde qui la ferait échapper à la clandestinité. À tout ce qu'une double vie peut avoir de pesant, de contraignant, d'irrespirable. Vivre enfin à cœur ouvert.

Ce devait être quelque chose comme ça, le bonheur. Un lieu commun probablement, comme l'aventure intérieure qu'il avait vécue avec elle. Mais souvent la vie ressemble à un lieu commun.

Peut-être avait-elle fini par s'éprendre d'un homme assez disponible pour tenter avec elle cet exil insensé dans le plus proche des pays lointains. Celui qui aurait eu la finesse de déceler son vacillement intérieur. L'intelligence de vaincre ses secrètes hésitations. Le courage de l'aider à rompre les amarres. L'audace de prendre la décision à sa place. La subtilité de ne pas lui ravir la maîtrise de son destin. La force d'être fort pour deux. Un homme selon son vœu, un homme en quelque sorte, un homme tout simplement.

On connaît des cas. Un jour, des gens partent volontairement pour ne plus jamais resurgir. Sans un mot d'explication. On a vu des pères agir ainsi. Et des mères

— mais le mystère de ce passage à l'acte est encore plus grand. Abandonner ses enfants sans rien leur dire : comment vivre toute une autre vie avec ce secret ?

Depuis deux ans que cette femme l'habitait, Rémi avait réussi à être captivé par elle sans en être le captif. Mais, après tout, que savait-il vraiment de sa vie ? L'essentiel lui échappait. Il ignorait des moments clés de son enfance, des pans entiers de sa jeunesse, les failles où s'insinue la folie ordinaire, les interstices qui recèlent des troubles vertigineux, ces détails où l'on a le plus de chance de rencontrer Dieu. La part d'ombre l'emportait sur les zones de clarté. Rémi croyait en savoir suffisamment, non sur sa biographie mais sur son âme. Juste assez pour imaginer qu'elle ne le plongerait pas sciemment dans le doute, cette angoisse infernale qui corrode la raison. Au prix d'un épuisant effort de mémoire, il s'employait à ressusciter les indices dont elle avait pu inconsciemment émailler une conversation quasi ininterrompue de deux ans.

Il en était là, à cette simple mais ferme conviction : une femme comme elle ne pouvait pas le faire souffrir volontairement. Pas après avoir déjà pris la mesure de cette douleur. Elle ne pouvait y trouver ni plaisir ni intérêt. C'est donc qu'il y avait autre chose. Ce ne pouvait être que l'ultime scénario envisagé, celui qui aurait dû s'imposer en tout premier, n'eût été ce délire qui pousse tout amoureux à se croire le centre du monde de l'autre.

Tout en esquissant un mammouth sur son calepin, Rémi fit un effort pour se remémorer le plus exactement possible les paroles de Victoria une semaine avant, dans la voiture. Son appréhension face à cet étrange patient.

Ses craintes. Cette peur dont il était le seul à connaître la cause. Une terreur dont elle était peut-être devenue la victime, et lui le dernier témoin.

La maison était silencieuse. Il s'arracha à son fauteuil pour ramasser une cigarette sur la table de la salle à manger. Les affaires de Marie étaient posées sur une chaise. Trois livres sanglés étaient hérissés de pense-bêtes. Ses deux gros cartables de cuir gisaient, la gueule béante. La partie supérieure d'un épais dossier en émergeait. Rémi reconnut aussitôt le journal intime. Il l'effleura du bout des doigts, s'en détourna, y revint pour y lire des moitiés de phrases à la dérobée.

Quelques instants après, il était installé à la table de la cuisine, absorbé par sa lecture. Bouleversé par cette voix surgie des limbes, il n'en était pas moins conscient de l'impudeur de l'exercice auquel il se livrait. De la violence faite à cette inconnue. Du viol auquel il se prêtait à son tour.

Ce journal brûlait à l'égal d'une torche vivante. Le sentiment amoureux y était porté à incandescence avec la même intensité que dans une correspondance clandestine. Une lettre d'amour de cent cinquante pages. Un paquet de feuilles qu'il suffisait de secouer pour qu'en tombent des larmes. Rien que des photocopies, pourtant. Elles n'en avaient pas moins conservé le mystère de l'original. Il se reflétait jusque dans l'empreinte indélébile des traces laissées par la scriptrice, énigmatique dessin formé par les crêtes capillaires de la pulpe de ses doigts.

En s'exprimant de la manière la plus secrète qui soit, puisque rien n'est moins public et que rien n'est moins publiable, cette femme semblait parler pour tous ceux que la vie a exilés d'eux-mêmes. Ceux qui se sont résolus à vivre la violence de leur passion dans la solitude dès lors qu'ils se sont refusés à la lumière. Parfois, Rémi revenait sur certaines pages et s'y arrêtait. À une ou deux reprises, il en aurait pleuré si les hommes n'étaient pas si naturellement enclins à censurer leurs émotions.

Plus il déchiffrait cette graphie heurtée, plus s'éloignait la figure classique du triangle adultérin que la Justice ne manquerait pas de pointer. Ce que les avocats brandiraient comme un aveu univoque, en le réduisant certainement à un Feydeau du pauvre, avec ce lexique idoine qu'il détestait, retentissait comme un cri pathétique étouffé en plein désert. Pas un seul instant Rémi ne s'identifia au mari trompé. Rien ne l'atteignait de sa peine, de sa honte, ni de son humiliation, puisque, semble-t-il, tout le monde savait.

Plus il lisait, plus il se sentait solidaire d'une solitude sauvée du néant et de la médiocrité par la passion amoureuse. L'autre, il préférait le désigner en droit comme étant le « plaignant » plutôt que par l'atroce mot de « cocu ». L'idée que Marie puisse le tromper, c'est-à-dire lui mentir durablement et profondément, organiser sa vie autour de cette traîtrise, abandonner régulièrement son corps aux lèvres d'un autre, rire et peut-être pleurer avec un autre, se confier à lui sans entraves, bref aimer et être aimée ailleurs que chez eux, cette idée-là ne l'effleurait pas car l'infidélité est un parjure et qu'une femme telle que Marie née Rabaut-Pelletier ne pourrait s'y résoudre, car née coupable. Élevée, éduquée et instruite dans le spectre du péché. Quand bien même elle avait pris ses distances avec la religion de ses origines pour se laisser happer par la religion de l'esprit du temps, il lui restait ce vieux fonds de mauvaise conscience judéo-chrétienne embusquée dans les replis de l'âme. Non qu'elle lui ait toujours dit la vérité, fût-ce la sienne. Ni qu'elle n'ait souvent menti par omission, jusqu'à en faire un mode de vie, qui sait ? Mais où s'arrête le mensonge et où commence la trahison ?

« Ça bourdonne toujours ? » Rémi sursauta. Comme à son habitude, Marie s'était glissée près de lui sans un bruit. C'était son jeu et elle y prenait un malin plaisir. Elle devait se douter de l'effet produit puisqu'elle apportait le mal et le remède, la frayeur d'une mauvaise surprise faite à un homme que sa sensibilité rendait réactif à la moindre modification de particule, et l'apaisement d'une main délicieusement caressante aussitôt déployée dans les cheveux de son mari.

« Tes zacoutrucs dans les oreilles, ça continue à te faire souffrir ? reprit-elle.

— Ah, ça... Par intermittence. Il ne faut pas y penser. Ne pas en parler. Ça repartira peut-être comme c'est venu, comme ça.

— Tout de même, tu devrais consulter. Plus prudent. »

Marie prit un yaourt aux fruits dans le réfrigérateur et s'assit en face de Rémi. Il l'observait, ses bras croisés s'employant avec peine à dissimuler le dossier, stoïque comme peut l'être un coupable dénué de culpabilité. Ils demeurèrent ainsi pendant de longues minutes dans le clair-obscur de la cuisine seulement éclairée par l'ombre portée du corridor, fascinés par la puissance muette de leurs regards.

« On est bizarres, non ? fit-il en esquissant un sourire

maladroit. Un peu en retard pour le dîner, un peu en avance pour le petit déjeuner, ce qu'on fait là, à cette heure-ci, on n'en sait rien… »

Sans le quitter des yeux, Marie raclait avec la dernière énergie son pot de sveltesse parfaitement vide. Mieux que personne, elle savait que Rémi ne supportait pas cet acharnement, lequel condensait en un seul geste sa haine de la manducation. Il l'aurait pardonné à d'anciens pauvres obsédés par le spectre du manque et du gâchis, pas à une femme élevée dans l'aisance. Elle poursuivait avec méthode son entreprise de nettoyage, faisant savoureusement claquer sa langue alors que la cuillère était immaculée. Sa perversité se traduisait jusque dans la lenteur avec laquelle elle accomplissait sa performance. Dans ces moments-là, Marie lui apparaissait comme un monstre, c'est-à-dire un prodige inquiétant, qu'il convenait d'apprivoiser pour n'être pas broyé par lui.

L'exercice menaçait de virer au curetage. Il durait tout de même depuis une dizaine d'années. Juste assez pour provoquer quelques petits meurtres sans importance. Il fallut que Rémi porte brusquement ses mains aux oreilles, les coups de cuillère contre les parois du pot, si identifiables par leur timbre mat, lui étant devenus insupportables par l'insondable violence qu'ils exprimaient. Alors seulement Marie consentit à se séparer de ce yaourt auquel leur conjugalité mal tempérée avait conféré le statut d'instrument du démon.

« Encore tes bourdonnements ? demanda-t-elle malicieusement sans attendre de réponse. Je vais te dire ce qu'on fait là : on lit un journal intime qui ne nous appartient pas. D'une carriériste comme moi, que dis-je, d'une telle arriviste, on n'en attend pas moins. Mais d'un pur esprit comme le tien, cela surprend... »

L'excellence de sa forme sarcastique à une heure aussi avancée de la nuit témoignait des vertus toniques du lait caillé. Elle avait des guillemets plein la bouche. Rémi se murait dans son silence à mesure que l'agressivité de Marie augmentait. Généralement, le combat cessait faute de combattants, le monologue épuisant ses charmes avant même de buter sur ses limites.

« Rémi, je te parle !

— Tu ne me parles pas, tu plaides.

— ... Tout de même, quelle salope ! reprit-elle, songeuse.

— On dirait que tu l'envies. »

Marie ne voulait rien voir de ce qui pouvait la rapprocher de cette femme. Aveugle à tout ce qui n'en faisait pas une adversaire. Incapable de distinguer en elle-même l'identité de la fonction, elle passait à côté de l'essentiel d'une inconnue déchirée entre un désir de départ et un refus d'abandon. Elle en oubliait même que, dès le premier âge, tout être est écartelé entre deux loyautés.

« Cela doit être affreusement compliqué d'organiser sa vie autour d'un mensonge, dit-elle avec une pointe d'admiration. Toutes ces prudences, ces ruses, tant d'imagination déployée pour cacher l'inavouable. Je conçois que ça ait pu l'exciter au début, et même la stimuler. Mais, à la longue, quelle torture que cette discipline !

— La vraie torture, c'est d'aimer et d'être aimé en secret. De devoir taire ce bonheur partagé. De ne pouvoir le confier à personne. De s'interdire de s'en ouvrir à qui que ce soit. D'être une âme sans repos.

— Cela doit développer l'esprit de précaution, poursuivait Marie, toute à son idée. Terrible de se sentir toujours sur ses gardes, dans la rue, en voiture, au restaurant, au café, à l'hôtel, dans des studios de complaisance, tous ces lieux qu'elle évoque en détail comme si elle les avait mentalement photographiés à force de les scruter. Et pourquoi tous ces risques ? Même pas pour sauver la face, ni pour la sécurité, ni pour l'argent. Non, pour les enfants ! Leur équilibre. Enfin, c'est ce qu'elle prétend. Quelle lâcheté dans la trahison !

— Tu ne comprends rien, trancha Rémi. Ou plutôt, tu refuses de comprendre car j'ai du mal à t'imaginer aussi insensible à sa douleur.

— Sa douleur ! s'exclama-t-elle en levant les bras au ciel. Une mère de famille qui s'envoie en l'air avec son amant dans les toilettes d'un restaurant ! Non mais, écoutez-le !

— On n'est pas au tribunal, alors on se calme.

— Partir ou rester, il n'y a pas d'autre solution, reprit-elle un ton en dessous. Mais dans un cas comme dans l'autre, pas de demi-mesure. Pas d'arrangement. Il faut jouer franc jeu. Refuser de se laisser tenter. Se rendre indisponible. Le petit manège de la séduction, ça va bien cinq minutes. Cette fille est une salope. De ses vices elle a fait des mœurs. Elle veut le beurre, l'argent du beurre et le cul du crémier. Si je gagne, elle devra faire une croix sur l'argent. Elle pourra toujours se consoler avec le reste...

— Mais comment oses-tu émettre des doutes ! s'emporta Rémi. Rien n'est plus sincère car rien n'est plus secret qu'un journal. Ça impose le respect. C'est peut-être le seul moment où on ne triche plus. Dans ces pages, elle se met à nu. Tu ne les as lues qu'en y cherchant des preuves pour la confondre. Flagrant, toutes tes marques fluorescentes. On dirait que tu as dressé ton Stabilo à dénicher exclusivement ce qui pouvait enfoncer les gens dans leur boue. Produire ce texte en justice tuerait son auteur. Mort juridique, mort sociale, mort matérielle...

— L'équation est pourtant simple, dit Marie en changeant de registre, adoptant son timbre de voix le plus tendre. L'homme qu'elle a dans son lit n'est pas l'homme qu'elle a dans la peau. Elle n'avait qu'à choisir et agir en conséquence. L'accommodement permanent ou la rupture radicale.

— Je ne peux pas croire que tu sois à ce point étrangère au doute, fermée à l'inquiétude, répliqua-t-il. Tu n'as rien vu de son désarroi, de sa mélancolie, de sa solitude ? Cet homme qu'elle évoque par ses seules initiales lui a donné quelque chose d'indéfinissable, que nul ne lui avait jamais donné. Disons un supplément d'âme qui l'a révélée à elle-même. Regarde bien, par endroits l'écriture se brouille et s'épaissit. Le stylo n'y est pour rien. De l'encre diluée par les larmes. C'est pour ça que produire ces pages en justice est obscène.

— Si au moins j'étais sûre de gagner, mais je le suis de moins en moins... La femme de mon client ne sait pas que nous possédons cette pièce à charge. Alors, discrétion absolue, s'il te plaît. Cela dit, je te l'accorde, j'envie une telle liberté. Son audace, son plaisir, son bonheur. Même si ce sont des instants volés. Surtout. »

Rémi se leva, se servit un verre d'eau du robinet puis y vida le contenu d'un sachet de poudre, trouvé au fond d'une boîte de médicaments.

« Tu sais à quoi ressemble ton adversaire ? lui demanda-t-il.

— Tu veux dire : mon confrère de la partie adverse ?
— Sa cliente. Ton ennemie, si tu préfères...
— Connais pas. Pourquoi ?
— Tu n'as pas le souci des visages, reprit-il. Tu te comportes comme l'Administration, sauf que tu n'es pas l'Administration. On dirait que tu conjures le facteur humain de crainte d'avoir un accès de faiblesse.
— Parfois, ça vaut mieux. Le droit, rien que le droit. Application de la loi. L'esprit du temps est avec nous puisqu'il est à la transparence. Alors pourquoi se scandaliser de cette divulgation ? Toi et tes combats d'arrière-garde ! »
Le regard étrangement fixe, perdu dans le vague, Rémi se surprit à murmurer :
« Tyrannie de la limpidité, sentiment du désastre... Incroyable, cette vision du monde, comme s'il n'était de réalité que visible...
— Tu délires !
— Et toi, reprit-il, tu ne me feras pas croire que tu t'es spécialisée par hasard dans le divorce pour faute. Les rapports de forces, les bras de fer, toute cette violence, c'est ce que tu aimes. Tu ne t'épanouis que dans les situations conflictuelles.
— Je te rappelle que...
— Je sais, je sais, nous vivons de ça, du moins nous en vivons aussi...
— Il n'y a pas que ça. On ne sort pas du droit sans droit. Le divorce sans juge est un leurre. »
Marie se leva énergiquement puis, intriguée par le ton de son mari, se pencha vers lui, posa sa main sur sa joue et, doucement :
« Huit jours que tu ne m'as pas touchée... »

Comme il ne lui opposait que son mutisme et qu'il n'esquissait pas le moindre geste en sa direction, elle revint à la charge, mais moins tendrement :

« Quelque chose en toi a changé. Je ne te retrouve plus. Tu es devenu sombre, ombrageux, irascible. Que se passe-t-il ?

— Si tu persistes à présenter ce journal comme pièce à conviction, et si tu gagnes, tu vas tuer le peu d'intimité dont on dispose encore dans une société de plus en plus surveillée. Un journal intime, c'est une conversation secrète avec un absent vouée à suspendre le temps, une lettre d'amour écrite avec la chair des mots, mais une lettre destinée à n'être jamais expédiée, alors on ne touche pas à ça publiquement, on n'y touche pas, jamais... »

Il replaça ses lunettes sur son nez, ouvrit à nouveau le dossier et s'absorba dans sa lecture tandis que Marie retournait se coucher. Il resta seul ainsi un long moment. Si elle savait, si seulement elle pouvait imaginer à quel point il admirait cette inconnue ; il la tenait, elle et toutes celles qui avaient le courage de leur passion et l'audace de leur transgression, pour des aventurières dans l'acception la plus noble du terme. Des femmes qui souvent prenaient le risque de tout perdre (l'aisance, la sécurité, les habitudes, les amitiés...) pour des baisers volés et l'ivresse d'un bonheur sans pareil. Elles hypothéquaient l'avenir pour vivre pleinement l'instant présent, et les certitudes pour l'inquiétude, tout ça pour ça.

La pendule de la bibliothèque indiquait minuit moins trois. Penché au balcon, Rémi chercha en vain une trace de lumière dans le ciel. Puis, tout en se tenant aux murs afin de ne réveiller personne, il retourna dans sa chambre s'allonger auprès de Marie dans l'espoir de trouver enfin le mot de passe d'une nuit à l'autre. Sans un échange, à quoi bon.

Un quart d'heure s'était écoulé quand il sentit les draps pris de tremblements. Couchée sur le ventre, les mains sous le sexe, les jambes rapprochées, Marie se caressait aussi discrètement que possible. De temps en temps, elle soulevait sa tête du traversin et la tournait légèrement vers la gauche pour s'assurer que Rémi dormait. Si elle avait été surprise, elle en aurait conçu une telle culpabilité qu'elle aurait aussitôt déployé son imagination afin d'effacer sa gêne. Faire de sa solitude un orgueil, et de son plaisir une honte, c'était bien elle. N'avait-elle pas toujours vécu sa sexualité comme un affreux ravissement ? Quelques instants après, il crut percevoir une secousse suivie d'un soupir, mais tant de bâillements voluptueux passent pour des orgasmes. Quand cette intense activité souterraine reprit de plus belle après une courte trêve, il suffit à Rémi de se retourner en toussant pour la faire cesser définitivement. Sans être l'ordinaire de leurs rapports amoureux, un tel scénario n'en constituait ni l'exception ni la règle. Cela advenait régulièrement, voilà tout, et l'épisode restait confiné dans les zones du non-dit. Mais jamais elle n'aurait pu imaginer que, de son côté, il guettait la résurrection de sa verge. Renvoyés dos à dos jusqu'au lendemain, ils eurent tout le loisir de méditer chacun pour soi sur leur situation présente, cette forme de misère qui ne dit pas son nom.

À plusieurs reprises au cœur de la nuit, il se réveilla haletant, se tenant la gorge comme s'il avait manqué être asphyxié. À chaque fois, il allumait la veilleuse et guettait sur le visage de Marie un doute, ou une inquiétude. Car rien ne le troublait comme l'idée d'avoir parlé au cours de son sommeil, d'avoir prononcé le seul prénom auquel il aurait voulu s'interdire de penser. En cas d'opération chirurgicale, il exigerait de l'anesthésiste qu'il éloigne Marie de la chambre pendant toute la durée du réveil.

À l'aube, Rémi émergea en sursaut et en nage d'un cauchemar absurde. Après s'être porté au secours d'une femme qui s'enfonçait irrésistiblement dans des sables mouvants, il s'était retrouvé à son tour englouti tandis que la silhouette de l'inconnue s'éloignait sur la berge. Ses appels demeuraient sans effet. Insensible à ses cris, la forme poursuivait son chemin. Alors, il résolut de se sauver en prenant modèle sur l'héroïque Münchhausen, lequel s'était sorti d'un marécage à la force des bras, en se tirant par les cheveux tout en serrant fortement son cheval entre ses genoux afin de ne pas l'abandonner à son destin. Mais plus Rémi se tirait de la sorte, plus la précipitation de ses gestes l'enfonçait.

Le réveil fut douloureux. L'incident lui fit renoncer pour un temps, mais pour un temps seulement, à sa chère utopie : s'extraire soi-même de l'intérieur pour s'intégrer à l'extérieur. Quitter enfin le cadre et faire sortir le monde de ses gonds.

Dès son arrivée au bureau, le lundi matin, Rémi composa fébrilement le numéro de Victoria. Rien. Toujours rien, si ce n'est l'enregistrement de sa voix, dont il commençait à se demander si elle n'était pas d'outre-tombe. Alors Rémi se sentit pour la première fois envahi par un malaise diffus.

Loin d'elle, il était en manque, habité en permanence par le sentiment amoureux. Cela l'occupait plus que toute autre activité, et le préoccupait au-delà du raisonnable. Le fait est qu'il avait le cœur innombrable.

Les premières années, une certaine idée du mariage partagée avec quelques milliards d'individus l'avait préservé. La conviction l'emportait sur la tentation. Jusqu'à ce qu'un soir, lors d'un concert privé dans les salons lambrissés de l'ambassade du Royaume-Uni, il fût saisi par une apparition préraphaélite. Certainement la jeune épouse d'un banquier d'une redoutable austérité, si l'on en jugeait par l'ennui qu'elle traînait à ses côtés. Une longue chevelure rousse, le teint étrangement diaphane, des yeux verts d'une douceur alarmante, des gestes d'une légèreté émouvante, une sorte de grâce paresseuse dans le maintien, jusqu'à cette nonchalance orientale dans la pose, elle était l'évanescence faite femme. Le genre de personnalité qui fanait tout ce qui la précédait. Son attitude était si naturellement élégante qu'il ne se souviendrait même pas de la couleur, de la matière ni de la forme de sa robe. Probablement une idée qui flottait autour d'un corps. Mais il se souviendrait toujours de sa gorge nacrée.

Les chaises des invités avaient été disposées en carré, de manière à cerner les musiciens. Rémi était assis juste en face d'elle. Dès les premiers accords de l'allégro, leurs regards se croisèrent. Ils se retrouvèrent tout au long de l'andante con motto, s'évitèrent maladroitement pendant le scherzo pour ne plus se quitter durant la totalité du presto. Jamais *La Jeune Fille et la Mort* ne fut ressentie avec autant d'émotion contenue, jamais l'opus posthume de Schubert ne fut reçu avec autant de secrète allégresse, jamais quatuor à cordes ne parut aussi scandaleusement bref. Ils ne se quittaient pas des yeux. À l'instigation des hôtes, les invités se levaient pour rejoindre les tables du souper. Eux restaient immobiles. Il fallut que son époux revienne la chercher pour la tirer de cet envoûtement réciproque. À la fin de la soirée, ils tentèrent, en vain, de se frôler. Tout en posant son manteau sur les épaules de Marie, il cherchait des yeux l'inconnue. Sa silhouette se détachait déjà sur le gravier de la cour où étaient stationnées les voitures. Elle se retourna une dernière fois, le fixa de loin et ce fut tout. Il ne savait rien d'elle, ni son nom ni son prénom, n'avait aucun moyen d'en savoir plus. Il ignorait jusqu'au grain de sa voix. Mais ils s'étaient dit tant de choses par la puissance muette du regard. Pendant des semaines, il fut hanté par sa présence.

De cette rencontre magique où tout arrive sans que rien ne se passe datait sa prise de conscience. Jamais plus il ne laisserait un tel échange de regards sans lendemain. Si cela devait se représenter, il saurait cette fois réagir dans l'instant. Trouver l'art et la manière de s'approcher d'elle furtivement, pardonnez-moi madame, mais nous devons nous revoir, croyez-moi confus de cette précipitation mais les circonstances, dites-moi juste quand et où, à moins qu'il ne soit mieux inspiré, qu'importe, mais il ne resterait pas sans voix car on peut se consumer intérieurement quand on aime et qu'on ne sait pas vivre l'instant présent. Au-delà des regrets, loin de tout remords, dénué de la moindre trace d'amertume, Rémi n'en avait pas moins le sentiment ineffable d'être passé à côté de quelque chose de rare. Ce qu'on ne vit qu'une fois. Pas de mots pour ça, sinon un certain bonheur dans ce qu'il a de plus insaisissable.

Les années passèrent. Jamais Rémi ne revit cette inconnue. Aucune des femmes auxquelles il se lia par la suite ne sut ce qu'elle devait à cette ombre lumineuse, échappée comme par miracle, l'espace d'une nuit d'automne, d'un tableau de Dante Gabriel Rossetti.

Plus il essayait de se dépouiller du souvenir de Victoria, plus il s'en enveloppait. Chacun de ses rêves éveillés échouait à nier sa disparition. Dans l'après-midi, alors qu'il s'entretenait avec une étudiante à la sortie d'une salle de cours, il l'abandonna précipitamment pour trouver un annuaire et un téléphone. Il viola leurs accords et l'appela directement à son cabinet. Un répondeur renvoyait au secrétariat du cabinet de son mari. Le meilleur moyen d'entrer enfin en contact avec Victoria était encore d'aller chez elle. C'était sa dernière chance de ne pas sombrer. Le prétexte était tout trouvé puisque son mari exerçait à leur domicile, dans le IXe arrondissement.

« Allô, cabinet de Robert Klein ? Mademoiselle, ici Rémi Laredo, je souhaiterais un rendez-vous avec le docteur... Non, plus tôt si possible, c'est assez urgent... Il me connaît, mais ne le dérangez pas... Oui, je patiente... Demain seize heures ? parfait... »

Une demi-heure d'avance. Juste assez pour s'imprégner de l'atmosphère. Relever des indices. Savoir enfin, car rien ne le minait comme de ne pas savoir. Au huitième jour, il commençait à envisager le pire sans être vraiment capable de lui donner un visage, ni même d'en préciser la forme.

En arrivant devant la porte du 26, rue d'Aumale, il songea à la spécialité du médecin qu'il s'apprêtait à consulter. La plaque de cuivre, à l'entrée, indiquait pudiquement « Maladies de l'appareil digestif ». Son domaine lui importait d'autant moins que la visite n'était qu'un prétexte.

En vertu d'un accord tacite, Rémi n'était jamais allé chez les Klein, de même que Victoria ne connaissait pas l'appartement des Laredo. Leurs maisons respectives représentaient le territoire sacré de la famille. Le jour où elle lui proposerait de le violer, et certainement de faire l'amour dans les draps du couple, afin de mêler son odeur à celle des époux, il pressentait qu'une ultime barrière serait abattue.

L'envie ne leur manquait pas d'y aller voir, non plus que la curiosité. Mais c'était mieux ainsi. Ils devaient s'en remettre à ce que chacun racontait de chez soi. À ce qu'il voulait bien en dire. Leur fragile équilibre tenait à cela qu'ils étaient pris chacun de leur côté par leur famille, ou plutôt par leur cellule familiale, jamais si bien nommée. Cette égalité dans la chaîne des obligations suffisait à conférer une stabilité relative à leur instabilité affective.

En pénétrant dans la salle d'attente, il reconnut leur salon. Le piano à queue que son mari lui avait offert pour son trentième anniversaire, la table basse à l'armature sculptée signée Diego et surpayée à Drouot lors d'une vente de charité, la bibliothèque en verre où le nombre des objets l'emportait sur celui des livres, les canapés où l'on s'enfonce sans espoir de se relever, les tableaux contemporains dont la réunion sur ces murs révélait moins l'esprit d'une collection qu'elle ne trahissait des honoraires en nature, des images en noir et blanc sauvées de l'insignifiance par la vertu de l'encadrement, jusqu'au cendrier en cristal ramené d'une escapade à Prague.

Le pedigree de chaque objet lui était aussi familier que s'il en avait été le propriétaire. Il n'était à l'origine de rien mais il savait l'origine de tout. Paradoxe de l'étranger qui foule une terre pour la première fois tout en la connaissant intimement — mais le paradoxe n'est-il pas souvent le commencement d'une vérité ? Sous une vague exhalaison médicamenteuse sourdait la fragrance si singulière de Victoria. L'odeur de sa peau musquée n'avait pas hésité un seul instant en Rémi pour bifurquer devant son néocortex, mettre le cap sur le foyer ardent de ses souvenirs et se lover dans le cerveau limbique, qui n'attendait que cela.

C'était vraiment chez eux, chez les Klein. Car chez elle, c'était plutôt dans sa voiture.

Instinctivement, avant même de s'asseoir, il faussa compagnie au couple de vieux qui attendait la visite. Si la secrétaire médicale n'avait pas été un cerbère, il aurait pu s'insinuer dans l'appartement et errer dans la chambre à coucher sous le prétexte de chercher les toilettes. Mais comme elles jouxtaient l'entrée, son projet fit long feu.

N'eussent été les revues de voyage et de décoration qui s'empilaient sur de gros coussins, manifestement destinées à faire patienter les impatients, on aurait pu oublier que, dans la journée, ce salon néobourgeois faisait office de salle d'attente, avant de retrouver, le soir venu, sa fonction privée d'apparat. Ainsi, même des lieux peuvent mener une double vie.

Rémi s'arracha difficilement au moelleux du canapé pour glaner des détails. La partition du *Hammerklavier,* encore en place sur le pupitre, n'était autre que la sonate écoutée dans la voiture avant l'explosion des airbags. Il la feuilleta comme on caresse un souvenir. En s'approchant, il distingua dans les marges une écriture qui lui était familière : elle reproduisait des commentaires techniques de Pludermacher sur les vertus de la pédale harmonique. Debout, Rémi joua quelques notes puis s'interrompit brusquement en portant les mains à ses oreilles.

Dans la bibliothèque, il distingua d'emblée les livres de son mari (des best-sellers de consommation courante) des siens propres (le freudisme en tous ses avatars). Des albums d'art empilés un peu partout, sur des meubles ou à même le sol, étaient destinés à être vus plutôt que lus. Les photos, sur la cheminée, étaient d'un académisme touchant, tant par leur disposition, la qualité des encadrements que par les attitudes adoptées. Ça sentait les vacances dans une maison de famille, le monde dont il était exclu.

Rémi s'attarda sur la seule image où elle était enfin seule. Était-ce la grâce avec laquelle elle portait ce jour-là un collier de perles au ras du cou, partie de son corps qu'il fétichisait peut-être plus que toute autre tant elle incarnait un absolu ? En tout cas, jamais son faux air de Jackie Kennedy n'avait rendu cette élégance si aérienne. Son attitude dégageait une manière d'insouciance. Quelque chose comme un certain bonheur, d'autant plus attachant et profond que l'inquiétude le cernait de toutes parts. Cette insaisissable alchimie entre un regard et un sourire, que l'on croirait de prime abord conquérants, mais qui ne tarde pas à vaciller pour finalement s'exténuer dans un aveu trop longtemps retenu.

À un moment de leur histoire, quand il avait déjà cru la perdre, il l'avait retrouvée là où il s'y attendait le moins. C'était au cinéma du samedi soir, sur l'écran. Elle était la femme d'à côté, l'amour de jeunesse réapparu inopinément longtemps après, quand les dés sont jetés pour l'un et pour l'autre. Lorsqu'il vit l'héroïne, jusqu'alors d'une maîtrise et d'une sérénité éblouissantes, s'engouffrer dans le parking pour finalement s'effondrer dans les bras de celui qu'elle n'avait jamais cessé d'aimer, Rémi avait songé à Victoria avec une intensité qui fixa cet instant dans sa mémoire. D'autant qu'au moment de quitter le cinéma avec ses amis, il avait rebroussé chemin pour relire la phrase d'accroche figurant sur l'affiche : « Ni avec toi, ni sans toi. » La phrase qui tue pour qui veut bien la lire et s'en pénétrer. Six mots qui rendent fou quand on les lit dans cet ordre.

Ni avec elle, ni sans elle. Rémi en était là exactement. Plus il scrutait son regard, derrière ce léger voile de tristesse de qui est blessé par la fuite du jour, mieux il entendait le grain de la voix de Victoria lorsqu'elle lançait, d'un ton naturellement royal, que seul le privilège attaché à son prénom autorisait, un « *we are not amused* » qui le désarçonnait. Il fixait cette absente si obsédante en se demandant ce qu'il lui devait, au fond. Un inventaire s'avérerait le plus vain des exercices. La liste serait longue, et l'essentiel échapperait à l'esprit des nomenclatures. Car elle lui avait dévoilé des choses que la proximité lui avait dérobées. Parfois le vrai de l'instant peut trahir la vérité d'une vie, il faut apprendre à s'en méfier, voilà le genre de choses qu'il lui devait. L'essentiel relevait bien de l'invisible.

Une autre photo l'intrigua. On l'avait disposée en retrait, comme si elle devait marquer son territoire, se distinguer des autres par sa place dans le concert nostalgique de l'iconographie familiale. Dans un décor de grand hôtel, une adolescente laissait éclater son bonheur, sa tête reposant sur l'épaule d'un homme d'âge mûr. La qualité de la prise de vue et la technique du tirage révélaient que la scène datait certainement de la fin des années soixante. Victoria et son père, à n'en pas douter. Alors Rémi comprit pour la première fois la nature profonde et insaisissable de ce qu'elle avait pu rechercher et retrouver auprès de lui.

L'idée d'un emprunt, à défaut d'un vol, l'effleura un instant. Il caressait la surface de la glace de la paume de la main quand il entendit le bruit d'une porte qu'on referme. Juste le temps d'esquisser deux pas en arrière et il perçut le bruit d'une autre, qu'on ouvre celle-là.

« Cher ami... » Les Klein et les Laredo s'étaient rencontrés pour la première fois au cours d'un dîner deux ans auparavant. Depuis, Rémi avait dû croiser Robert Klein à plusieurs reprises dans des cocktails ou à son club de sport. Le temps d'échanger quelques amabilités, sans plus. Mais il en savait tant sur lui alors qu'il le connaissait à peine. Victoria, si mystérieuse par nature, se révélait d'une indiscrétion à la limite de l'impudeur quand elle lui parlait de lui. Inouï, ce que des amants peuvent se confier de leur conjoint. De ses troubles et de ses mœurs, de ses rêves et de ses terreurs, de ses vices cachés et de ses fantasmes. De son intimité. Ils vident leur sac pour s'alléger d'un trop-plein de reproches, ressentiment et petites haines recuites. Seule la nature si étrange de leur lien autorise un tel déballage. Car de quelque manière qu'on l'envisage, le secret en est l'alpha et l'oméga.

L'inquiétude de Klein ne pouvait lui échapper. Rémi n'ignorait rien de ses points faibles. Rien ne lui échappait de sa fragilité pathétiquement abritée derrière une assurance de notable. Il savait ses hontes. Toutes choses qui l'empêchaient d'être dupe de sa panoplie de précieux parvenu, costume à fines rayures commandé directement à Saville Row, cravate en soie au nœud si savamment étudié, chemise Turnbull & Asser avec col rehaussé et manchettes tubes, souliers anglais lustrés par un valet invisible et bracelet-montre assorti. Une personne atrocement anonyme coulée dans le moule d'un personnage entièrement blasonné *by appointment to Her Majesty the Queen.*

Malgré le moelleux des étoffes et la patine des cuirs, il donnait l'impression de givrer tout ce qu'il touchait. Un autre aurait pu être impressionné par ce réseau de signes annonçant avec plus ou moins d'ostentation une réussite bien établie. Pas Rémi, qui savait les manques qu'ils masquaient, les lacunes qu'ils dissimulaient. Une impuissance qui ne disait pas son nom. Quelque chose comme de l'insuffisance dans bien des domaines. Ceux-là mêmes auxquels Victoria attachait tant de prix.

Au début, elle avait dû l'admirer, car elle était de ces femmes qui, pour aimer, ont besoin d'être portées par quelque chose qui les dépasse et les exalte. Mais cet enthousiasme pour celui qu'elle avait pu juger si supérieur aux autres hommes n'avait pas résisté à l'épreuve du temps. À l'émerveillement avait succédé ce sourd secret silencieux, l'ennui. Non pas un ennui excusable car issu de la mélancolie, mal dont on tirerait une certaine noblesse, et contre lequel la passion serait le plus sûr des antidépresseurs. Plutôt cet ennui impardonnable à qui possède tous les moyens de ne pas s'ennuyer. Ce médiocre ennui qui se dégageait de sa compagnie, sinon de sa seule présence, et même de sa respiration. Cet suffocant ennui qu'elle trompait en se réfugiant auprès de Rémi. Cet innommable ennui né d'une coexistence sans connivence. Ce misérable ennui qu'elle éprouvait avec d'autant plus de honte qu'elle se savait par ailleurs comblée par tout ce que l'argent peut offrir d'anesthésiant. Cet insondable ennui qui est le ferment de tant d'adultères depuis que le genre humain a entrepris d'échapper à la solitude. L'ennui conjugal, un désert.

Rémi le contemplait alors que le docteur répondait à un appel téléphonique. Il l'auscultait, lui et son environnement. Cette pièce habilement décorée, aux murs tendus de daim marron, ces stores vénitiens qui devaient être tirés en permanence, les points de lumière disposés un peu partout de manière à créer une atmosphère faussement feutrée, le bureau churchillien de cuir et de merisier, la collection de bronzes figurant la force tranquille d'une situation bien assise, une moquette beige qui assourdissait tout déplacement dans l'espace, les Pléiade encore dans leurs coffrets sagement alignés et la grande tapisserie dans l'esprit des Gobelins supposée rattacher le maître des lieux à la longue chaîne des médecins humanistes, et dédoubler l'homme de l'art en honnête homme quand il n'en était que la caricature. Tout un décor archétypal du grand goût bourgeois, qui concourait à offrir la plus respectable représentation de son personnage principal. Un homme qui s'entourait comme on se protège.

Le docteur Klein ne cessait de changer l'écouteur d'oreille. Il s'adressait manifestement à un confrère. La plupart des termes qu'il employait relevaient d'un langage codé. D'ailleurs ses notes retranscrites à la hâte comprenaient autant de morceaux de phrases mnémotechniques que de schémas de ballonnement abdominal.

« Cher ami, dites-moi tout, que se passe-t-il donc ? » demanda-t-il à Rémi aussitôt après avoir raccroché.

Alors seulement Rémi se souvint qu'il se trouvait dans le cabinet d'un fameux proctologue. Trop tard pour faire machine arrière. Impossible de se retirer sans éveiller de soupçons. Il était tellement obsédé par l'idée de relever des indices sur le sort de Victoria qu'il n'avait même pas songé à offrir une parade à une question aussi prévisible. Il brûlait de la lui retourner.

Après tout, si la vie était mieux faite, ils pourraient couper les téléphones, passer au salon, se faire servir du thé et des gâteaux secs, et se livrer aux délices de la conversation comme sauraient le faire deux *gentlemen* passionnés par le même sujet. On eut alors assisté à un véritable échange de *connoisseurs*. Ils auraient discrètement fait assaut d'érudition. Un enchantement pour l'esprit. C'est que chacun possédait un morceau de la vraie croix. En s'unissant, ils l'auraient miraculeusement recollée et l'énigme de Victoria aurait enfin surgi en pleine lumière. Qui d'autre mieux qu'eux aurait pu ainsi évoquer son souvenir radieux et retrouver son chemin dans cette existence qui ressemblait à un immeuble à double issue ? Seulement voilà, la vie n'est pas si bien faite puisque chacun reste de son côté du bureau.

Robert Klein était à la fois le seul à qui il aurait pu confier sa détresse, le seul capable de pleinement la comprendre, et le seul à qui il ne devait rien avouer. Il suffirait d'un geste, d'un signe, d'un mot. Ça ne viendrait pas. Pas d'un tel homme. Il avait une tête à emporter des traités de météorisme en vacances.

Rémi aurait tant voulu l'interroger à son tour, donnez-moi des nouvelles de votre femme, je vous en supplie, dites-moi si elle est morte ou vivante et, si elle m'en veut, de quoi mon Dieu, de quoi car, sachez-le, je n'en peux plus, je me réveille la nuit en état de suffocation, faites quelque chose, elle est certainement en danger, elle reçoit parfois de vrais timbrés, l'un d'entre eux même accompagné de son amie, vous vous rendez compte ? je ne peux malheureusement pas vous en dire plus, un jour vous comprendrez pourquoi, en attendant faites-moi confiance, il faut la sauver, je voudrais tant la retrouver, je le pourrais même à l'odeur, vous vous en souvenez, vous, de son odeur ? l'avez-vous seulement remarquée, cela m'étonnerait, vous ignorez ce que c'est que d'aimer une femme de cette qualité, un être aussi rare, vous ne l'avez jamais su, le monde devrait la traiter au minimum comme une déesse, elle mériterait que l'on jette des pétales de rose sur son passage, vous en doutiez ? vous aviez cru qu'elle voulait elle aussi une chambre à soi alors vous lui avez offert pour ainsi dire un appartement à soi quand elle voulait en vérité une vie à soi, étonnant de passer à ce point à côté des rêves de celle dont on partage l'existence n'est-ce pas ? elle n'aime rien tant qu'être surprise, il faut préméditer l'imprévu avec suffisamment de génie pour que cela paraisse naturel mais l'avez-vous seulement relevé ? j'en doute, vous n'avez même pas dû remarquer qu'elle n'embrassait plus comme avant, tout de même ça aurait dû vous intriguer, et cette métamorphose de sa silhouette, plus mince et plus musclée, ce changement dans sa manière de se mouvoir et de s'offrir au regard, depuis deux ans elle n'occupe plus l'espace comme avant, elle se déplace et prend la lumière autrement, ah si vous nous aviez vus ensemble ne fût-ce qu'une fois, une seule, vous sauriez à quoi ressemble un couple touché par la grâce, deux corps deux esprits deux âmes en si parfaite harmonie, un défi au chaos du monde, cependant vous me semblez assez perspicace pour comprendre qu'elle me manque à en crever, cette attente m'est insupportable, cette inquiétude plus encore, passons donc à côté pour bavarder, je dois entendre parler d'elle, donnez-moi de ses nouvelles, rien n'est inhumain comme d'être rongé par le doute, ne pas savoir est une souffrance digne de...

« Des hémorroïdes.

— Ça s'est manifesté comment?

— Euh, des saignements au moment de... Vous voyez ce que je veux dire, bredouilla Rémi avec une pointe de gêne.

— Bien, on va voir ça. Déshabillez-vous à côté... oui, complètement, les chaussettes aussi », lui dit le médecin tout en enfilant sa main droite dans une sorte de préservatif qui lui allait comme un gant.

Alors qu'il s'allongeait sur la table d'examen en prenant appui sur ses avant-bras, de manière à mieux faire ressortir le bassin, Rémi prit soudainement conscience de l'incongruité de sa démarche et de l'absurdité de la situation. Car enfin, il allait se faire inspecter l'intérieur de l'anus par le mari de sa maîtresse, laquelle avait disparu sans laisser de traces après avoir manqué lui sectionner le pénis d'un claquement de mâchoires indépendant de sa volonté. Cul à l'air, il en était là de ses réflexions, parfaitement nu devant un homme habillé, usant de sa dextérité légendaire pour pratiquer un toucher rectal qui ne le heurterait pas. Ainsi accroupi, il se sentait si inférieur à cet homme qu'il avait eu le sentiment de dominer peu avant quand ils étaient assis face à face, jouissant silencieusement d'en savoir tant sur ses faiblesses. Quelques minutes après, tel un adolescent embarrassé par son corps, il se rhabillait en toute hâte, tâchant maladroitement de dissimuler à la curiosité du médecin son appendice encore congestionné.

Tandis que Klein s'installait derrière le bureau dont il se faisait un rempart, Rémi reprenait sa place face à lui. Une fois rajusté, il retrouva son assurance et put à nouveau l'envisager avec une secrète supériorité. Car l'amant savait ce que le mari ne saurait jamais. Que Victoria lui en voulait de n'être pas un homme dans le regard, les lèvres, les bras, les mains, les doigts duquel elle se serait enfin sentie femme. Qu'elle ne supportait plus son odeur ni même le simple contact avec sa peau, l'amour n'en parlons même pas ou appelons ça autrement. Robert Klein se doutait-il seulement que Victoria ne pouvait plus le sentir depuis longtemps déjà ? Il ne le saurait jamais. On ne dit pas ces choses-là. Il n'imaginait pas l'effort que doit parfois fournir une femme dégoûtée, c'était le mot qu'elle employait à dessein non sans l'avoir longuement ruminé, mûri, pesé, pour évoquer cette peau et cette odeur qui lui étaient imposées tous les soirs, parfois quelques heures seulement après qu'elle s'était enivrée avec celles de Rémi. Jamais plus intensément que dans ces moments-là elle ne mesurait à quel point l'un lui faisait tolérer l'autre. Jamais autant qu'auprès de lui elle ne s'était sentie hardie de corps. Il lui avait permis de célébrer sa maturité triomphante. Quand elle en prenait conscience avec une acuité particulière, et que le sentiment amoureux était exalté par la plus vive émotion de l'instant présent, elle se retournait vers Rémi et le remerciait. Face à ses dénégations, elle insistait et, le regard humide, le remerciait encore. Merci d'exister, c'est ce qu'elle murmurait, généralement à plusieurs reprises, d'un timbre si tremblé que Rémi en restait coi. Elle savait comme nulle autre faire en sorte que le grain du temps soit dans le grain des mots. Mais où pouvait-elle bien être ?

« Je ne vois rien, commenta le docteur. Peut-être une légère irritation. Pas de constipation ? »

Rémi secoua la tête de gauche à droite. Klein lui posa quelques questions sur ses habitudes alimentaires, se tut un instant pour rédiger ses notes puis lui demanda en le scrutant par-dessus ses lunettes en écaille :

« Pas de relations homosexuelles ?

— Pardon ? fit-il en manquant s'étrangler.

— Ah, on se dit tout, c'est la règle, sinon à quoi bon consulter un praticien ? Je dois savoir. Et puis le secret professionnel, vous savez bien...

— Non, non, pas de relations... »

Pour le rassurer, le docteur Klein lui fit tout de même une feuille de soins et lui prescrivit une pommade. Le téléphone sonna à nouveau, le portable cette fois. Robert Klein le sortit de la poche intérieure de sa veste, assez rapidement pour que *L'Internationale* ne dépasse pas le premier couplet. En d'autres temps, Rémi aurait souri de cette provocation si gratuite et si typiquement bourgeoise, bien dans l'esprit de l'époque, cette faculté de tourner en dérision un lointain passé révolutionnaire, mais il n'en avait pas le cœur.

Cette fois, il était clair que son correspondant ne sollicitait pas son expertise sur des questions de flatulence. Klein fronça les sourcils, lâcha simplement un « C'est vous ? » assez sec, se cabra dans son fauteuil puis se retira dans le petit cabinet de toilette adjacent afin d'y poursuivre sa conversation. Quelques minutes plus tard, la mine soucieuse, il revint en ayant raccroché. Sur un bout de papier, il nota quelque chose qui ressemblait à une adresse. Rémi, qui s'employait à la déchiffrer à l'envers, croisa son regard fixe et menaçant. Puis le médecin acheva de remplir le formulaire de la Sécurité sociale, étrangement silencieux.

« Tout va bien, docteur ?

— Évidemment, pourquoi ?

— Je ne sais pas, tenta Rémi, vous avez l'air si préoccupé soudainement...

— Ah ça, ce n'est rien, dit-il sans convaincre. Quatre cents francs, je vous prie. »

Laredo sortit tout naturellement son chéquier et son stylo de sa poche droite. Sans même lui laisser le temps de finir, Klein inclina son long corps sans grâce pardessus le bureau et, scrutant de près le stylo publicitaire, tendit la main :

« Vous permettez ? »

En le confiant malgré lui à ces doigts finement manucurés, Rémi fut pétrifié par sa gaffe. Il réalisa alors seulement que Victoria le lui avait prêté dans la voiture pour noter leur rendez-vous et qu'il l'avait machinalement empoché. Si elle avait été là, elle n'aurait pas manqué de pointer l'acte manqué. Or, justement, son absence devenait aveuglante. Robert Klein examinait la chose avec un regard, sinon un doigté, d'entomologiste. Il fixa sévèrement Rémi.

« Vous avez eu ça où ?

— Ça ? s'étonna Rémi en se levant pour vérifier. Mais ça ne m'appartient pas. Je l'ai trouvé tout à l'heure sur un guéridon, dans la salle d'attente. Je voulais griffonner quelque chose, vous savez ce que c'est, on oublie vite. Et puis, l'habitude, je l'ai emporté...

— Sur le guéridon ?... »

Le médecin récupéra la chose avec l'autorité intangible qui sied à tout propriétaire bien né. Puis il posa le stylo méticuleusement devant son téléphone, avec tous les égards dus à une pièce à conviction. Rémi l'observait avec envie. Il songea au destin de ce stylo sur lequel était écrit en lettres d'or « Chocolats Gradiva. Cannes-Deauville-Knokke-le-Zoute ». À ce qu'il avait vécu et à ce qu'il aurait pu vivre encore. Il l'avait si souvent vu entre les doigts si racés de Victoria, puis entre ses lèvres, nerveusement mordillé, rêveusement léché, enfin sucé dans une de ces attitudes provocantes dont elle avait le secret. Le capuchon tout cabossé portait les stigmates du travail des incisives sur le plastique. Nul doute qu'il était encore imprégné du goût de sa langue. Du souvenir émollient de sa salive. Comme le médecin se levait, Rémi dut en faire autant sans même pouvoir embrasser une dernière fois cet objet qu'elle avait si souvent mouillé avec volupté. Le cœur serré, il abandonna le stylo, déplacé sur ce bureau de notable de la troisième République, avec l'atroce sentiment de se séparer d'un fétiche d'autant plus précieux qu'il en avait hérité par hasard.

Le docteur Klein raccompagna son patient à l'entrée sans se départir de son urbanité. En se dirigeant vers la porte, Rémi ralentissait le pas comme s'il voulait s'imprégner encore d'un maximum de sensations avant de devoir y renoncer à jamais. Son dernier regard fut pour le plateau en argent placé sur une commode dans le corridor. Le courrier de l'après-midi y avait été déposé.

Sur la première enveloppe, il eut juste le temps de lire « Victoria Klein ».

Dehors, le soleil était éblouissant. Une lumière minérale écrasait la rue. Rémi porta instinctivement sa main gauche à l'oreille. Le bourdonnement, toujours. Ça l'obsédait au point de l'entraîner vers une mystique du cérumen. Dans ces moments-là, on le sentait prêt à conférer des vertus philosophiques au coton-tige. Mais non, c'était autre chose. Il fit quelques pas et s'arrêta, hélé par le son le plus délicieux qui fût, des notes de piano s'échappant d'une fenêtre ouverte. À la seconde reprise, il comprit qu'il ne s'agissait pas d'un enregistrement mais d'une répétition. Parvenu au carrefour, Rémi sortit de sa poche l'ordonnance et la feuille de maladie pour les glisser dans une poubelle sans même les déchirer. Puis il s'engouffra dans une cabine téléphonique.

« Cabinet du docteur Robert Klein, bonjour...

— J'aimerais parler à Victoria Klein, s'il vous plaît. »

Il y eut un silence. On entendit une commutation. Puis à nouveau la secrétaire :

« Mme Klein n'est pas là.

— Elle est sortie ?

— Elle n'est pas là.

— Elle s'est absentée depuis longtemps ? insista Rémi.

— Ne quittez pas. »

Il perçut à nouveau un déclic.

« Qui est à l'appareil ? »

C'était une voix d'homme, grave et posée. Celle de Robert Klein.

Rémi raccrocha aussitôt. D'un geste devenu naturel, il porta ses mains aux oreilles. Le bourdonnement se faisait à nouveau insistant. Ne le lâchait pas. Le rattrapait toujours quand il s'y attendait le moins. Mais les accords de l'improbable sonate semblaient avoir cédé la place à des voix se pourchassant. Quelque chose de l'ordre de la fugue.

Avant de quitter la rue, il se retourna une dernière fois vers l'immeuble du 26. Les fenêtres du troisième étage demeuraient muettes. Elles n'abritaient plus qu'une vision d'éclipse.

Il abandonna la rue d'Aumale sans regret, convaincu que c'était là qu'il avait le plus de chance de la trouver absente. Nul doute désormais. Qu'elle fût tombée dans un abîme, égarée ou en fuite, il lui fallait désormais affronter cette réalité qui l'entraînait dans sa spirale. Victoria, si encline à se dissiper en société, s'était évanouie dans la nature.

Cette fois, la fugitive avait bel et bien disparu.

4

Dans la chambre des enfants, le puzzle commençait à prendre forme. Malgré la difficulté à reconstituer les flots, si semblables les uns aux autres, tout était à peu près en place. L'architecture de l'image, les formes de l'automobile et la ligne d'horizon. Mais l'essentiel manquait à l'emplacement même de son partage asymétrique, dans ce cercle magique mystérieusement placé en son nombre d'or, le rétroviseur. Les visages. Les regards. Les sourires. Le plus délicat à réinventer.

Quand Paul et Virginie rentrèrent de l'école, ils furent à peine surpris de trouver leur père agenouillé sur la moquette. Ils se joignirent naturellement à lui pour l'aider à vaincre ce casse-tête anglais qui méritait bien son nom. Car rien n'était plus embarrassant stricto sensu. Impossible de ne pas achever ce qui avait été commencé. Il irait donc jusqu'au bout, dût-il lui en coûter.

Marie avait fait prévenir par l'une de ses collaboratrices qu'ils devaient dîner sans l'attendre. Une réunion relative à « l'affaire » la retenait à son cabinet. Elle ne la nommait plus, comme s'il n'y en avait qu'une, ou qu'il n'y en avait jamais eu d'autre. Le fait est qu'à ses yeux, celle-ci les avait toutes éclipsées, tant par sa dimension financière que par son poids symbolique.

Le client devait peser très lourd à maints égards. Lui aussi était valorisé par l'anonymat qu'elle lui conférait. Ce mystère sur sa personne la nimbait d'un certain prestige. Il était commandé, selon elle, par une discrétion en toutes choses qui devait aller de pair avec le secret professionnel, même si, au palais, beaucoup s'en gaussaient. À la maison, elle disait « le client » ou « mon client » d'un ton si exclusif et péremptoire qu'il anéantissait par avance toute question sur son identité. Quand il l'appelait le samedi ou même le dimanche, elle lâchait tout dans la précipitation pour interrompre brutalement le répondeur de la maison, censé préserver la famille d'un métier jugé parfois intrusif sinon envahissant ; alors elle se rendait disponible afin de commenter aussi longuement que nécessaire l'évolution de son dossier. Le temps ordinaire suspendait son vol. Le périmètre sacré de la famille cessait provisoirement de l'être. Les siens n'étaient plus prioritaires. De toute façon, ils en savaient de moins en moins. Depuis leur discussion dans la cuisine, plus elle s'immergeait dans cette histoire, moins elle s'en ouvrait à son mari.

L'agressivité que Rémi manifestait avec une constance inattendue l'avait intriguée. Non sur la nature du bon droit dans cette affaire mais sur la capacité de son mari à demeurer solidaire en toutes circonstances. Une ou deux fois, au détour de la conversation, il avait essayé de faire valoir que les journaux intimes étaient réputés contenir parfois autant de fantasmes que de délires. Mais, en procédurière éprouvée, elle avait songé à balayer l'argument par le relevé de toutes les exactitudes (initiales des personnes, description de lieux, inventaire des objets, évocation des vêtements) consignées en toute inconscience par la femme du client, seule diariste qu'elle aurait volontiers placée au-dessus de Virginia Woolf par ordre d'importance si c'était de nature à convaincre un juge.

Rémi ne renonçait pas à tout tenter pour entamer sa détermination. Tant d'hostilité avait rendu Marie méfiante. Comme on peut l'être vis-à-vis d'un homme qu'on affuble en imagination d'un masque de traître de comédie. Juste pour voir si ça lui va bien. Et ca lui va bien.

Cette histoire, qu'elle vivait comme une mise à l'épreuve, lui avait fait perdre sa confiance en lui. Elle faisait confiance au chauffeur de taxi peut-être éthylique à qui elle confiait sa vie, et à la baby-sitter peut-être psychotique dans les mains de qui elle remettait la vie de ses enfants, mais pas à son mari, qu'elle jugeait trop critique à son endroit.

Du jour où elle cessa de faire allusion à ce fameux journal intime, pièce maîtresse de son dossier, un doute insistant envahit Rémi. Il devint obsessionnel quand il comprit qu'il n'aurait pas avant longtemps de réponse à sa question : Victoria tenait-elle un journal ?

Après avoir couché les enfants, il se retira, ne laissant qu'un halo dans le couloir pour les rassurer. Mais juste après avoir quitté leur chambre, il revint sur ses pas. Le rai de lumière ne s'était insinué dans la pièce que pour faire danser des ombres fantomatiques sur le puzzle. On aurait dit que le doigt du Très-Haut s'y était posé à dessein afin de l'isoler et de le lui désigner spécialement. Tout y avait été à peu près reconstitué. À l'exception toutefois de l'expression du visage de l'héroïne, car l'anonyme en était une désormais, par la seule vertu de cette œuvre à la beauté convulsive. Rémi s'accroupit et la fixa. Intrigué, effrayé, halluciné enfin par ce qui se dégageait de l'image d'Elliott Erwitt. Quelque chose menaçait de sourdre de ce miroir posé sur l'océan. Le sourire d'une disparue.

Il était un peu plus de vingt-trois heures quand claqua le verrou de la porte d'entrée. Aussitôt après avoir jeté son lourd cartable de cuir noir sur une chaise, Marie déposa un baiser sur le front de son mari, trop enfoncé dans le chesterfield pour réagir. Tout en murmurant un pardon-chéri de circonstance, elle se saisit d'autorité du cendrier débordant de mégots pour le vider dans un sac en plastique. Puis elle revint s'allonger près de lui sur le canapé en croquant une pomme.

« Alors, ce barrage, ils cèdent ? fit-elle en désignant du menton un dossier posé sur les genoux de son mari.

— Qui ça ? Eux ou lui ? »

Sans même attendre de réponse, Rémi eut un geste de lassitude aussitôt corrigé par un mouvement de révolte.

« Les autorités compétentes ne cessent de se renvoyer la balle. Elles jouent le pourrissement de la situation. Écœurant.

— Tu es découragé ?

— Au contraire ! Le spectacle de la lâcheté m'a toujours stimulé. Je vais les inonder de télécopies jusqu'à ce que quelqu'un se mouille.

— Tu ne peux pas dire "fax" comme tout le monde ?

— Non, je ne peux pas. Justement. Comme tout le monde, je ne veux pas ! s'énerva-t-il soudainement. J'ai la haine, tu comprends ? La haine du consensus ! De cette abdication de l'esprit critique ! De ce nivellement par le bas ! De cette médiocrité du plus grand nombre ! De...

— Pouce ! Stop ! Halte au feu ! » implora Marie tout en levant les bras en signe de reddition.

Un quart d'heure après, ils éteignaient d'un même élan leurs lampes de chevet. Jamais comme cette nuit-là Rémi ne fut envahi de l'étrange sentiment de l'entre-deux. Marie d'un côté, Victoria de l'autre. Comment n'être pas déséquilibré entre un trop-plein de présence et un trop-plein d'absence ? Il vivait avec l'une mais l'autre l'habitait. Il lui fallait la retrouver pour se retrouver. Disloqué comme pourrait l'être l'homme sans identité, il jugeait urgent, désormais, de se rassembler. De mettre un peu d'ordre dans le chaos de ses dédoublements. Sans quoi, il risquerait un jour de se croiser dans un miroir sans se reconnaître.

Demain, il s'en irait à sa recherche.

Des parties-sans-laisser-d'adresse, on en a quatre mille par an, alors une évaporée de plus ou de moins, ne croyez pas qu'on va tout mettre en branle pour autant, un adulte a le droit de partir, on ne le recherche que si sa disparition est signalée comme inquiétante par la famille, à propos êtes-vous son époux ou son frère ? de toute façon ce ne serait pas une fugue comme pour les enfants disparus, ceux-là ne fuient pas un mari, le fisc ou des créanciers...

Voilà ce qu'il aurait entendu s'il s'était rendu au 9e cabinet de délégation judiciaire, mais à quoi bon réécouter un air connu ? À quoi bon même écumer le fichier central, ou vérifier auprès du service des admissions des hôpitaux, sans parler des mouvements enregistrés à sa banque, et surtout du disque dur de son ordinateur, conservatoire des cas qu'elle traitait. Il n'avait aucune qualité pour le faire ? Toute démarche à visage découvert aurait éveillé des soupçons. Alors quoi ? le vol, le cambriolage, le travestissement. Tous les risques de l'imposture pour un résultat improbable. Son sentiment d'impuissance était d'autant plus asphyxiant qu'il croyait détenir la clé de la survie de Victoria. Son salut passait par lui. Pour avoir été l'ultime confident et le dernier témoin, il savait. À quoi bon savoir quand on ne peut rien dire ? Ni rien faire. Juste se ronger en espérant n'être pas engagé à son insu dans une course contre la mort.

Le doute, et non l'irrésolution, le paralysait. Si Victoria avait délibérément décidé de refaire sa vie, de se mettre entre parenthèses et de se consacrer à la sculpture de soi, il adopterait une certaine stratégie. Mais si elle était la victime de son étrange patient, une intervention de Rémi s'imposait. Il cessa de piétiner quand il lui apparut évident que, dans un cas comme dans l'autre, toute enquête de police remonterait jusqu'à lui. L'anticiper, c'était en désamorcer les effets les plus néfastes. Quand Rémi s'y résolut, il prit seulement conscience d'une évidence : leur destin était aussi intimement lié que l'avait été leur passé. Plus indissociables qu'ils ne l'auraient jamais espéré. Où qu'elle fût, elle l'entraînerait désormais dans sa spirale. Rémi s'était approprié la douleur supposée de Victoria jusqu'à ce que celle-ci le ramène à sa propre douleur.

Ne lui restait plus qu'à reprendre leur chemin en sens

inverse. Retrouver leurs endroits. Dans un but, un seul : faire surgir les traces de leur passion afin de mieux les effacer. Rien ne devait subsister de leur amour, alors qu'il n'était même pas défunt. On peut aussi convoquer la mémoire pour mieux oublier. L'exercice n'est pas sans danger, tant il paraît artificiel. Quand on revient sur ses pas, le désir n'est plus naturel. On ne sait jamais ce que le passé nous réserve.

Il consacra près d'une semaine à son enquête, dès que ses travaux à l'Institut lui en laissaient le loisir. À l'issue de cette épreuve, car l'exercice était moins nostalgique que douloureux, il émergea avec la conviction que ses vrais ennemis étaient en lui. Nul autre que lui-même ne les avait sécrétés et nourris.

Cafés, librairies, restaurants, supermarchés, stations-service, péages d'autoroute... Partout où ils étaient passés, ils avaient souvent eu la négligence de régler avec une carte de crédit. Même dans les salles de cinéma, ces grottes artificielles. Un hôtelier deux étoiles invite à se tenir sur ses gardes, son sourire en coin suggère déjà l'anonymat de l'argent liquide. Pas un bistrot ni un pompiste. Un inspecteur un peu pugnace n'aurait aucun mal à reconstituer leurs itinéraires à la seconde près. En cas de doute, il lui suffirait de recouper avec des procès-verbaux de stationnement. Ou, mieux, des relevés téléphoniques. La consultation était d'autant plus légale qu'il ne s'agissait pas d'écoutes. Et quand bien même... Numéros d'appel et de destination, date et heure. Tout y était, jusqu'à la durée de chaque conversation, là encore à la seconde près. Il en allait de même avec leurs ordinateurs respectifs, celui du cabinet et celui de l'Institut. Ils conservaient la mémoire de leurs courriers électroniques, tout comme les bandes de leurs répondeurs-enregistreurs, lesquelles n'étaient pas perdues pour tout le monde.

Toute une vie qu'il croyait privée était en réalité en fiches. Gravée dans le disque dur de la société. Mais pense-t-on à cela quand on vit de ces rares instants qui font envisager l'amour comme un absolu miracle poétique ?

Ce qui ne s'y trouvait pas ne lui avait pas pour autant échappé. Si ce n'était imprimé, c'était donc filmé. Même dans les gestes les plus anodins de la vie quotidienne. Chaque fois qu'ils s'étaient approvisionnés à un distributeur de billets devant une banque, ils avaient été filmés. Musées, galeries, salles des ventes… Leur goût partagé pour l'art les trahissait tout autant. Là encore, tout était visualisé. Pour ne rien dire des plus luxueux magasins du faubourg Saint-Honoré où elle l'avait parfois entraîné pour connaître le suprême bonheur d'acheter un chemisier ou une robe avec son assentiment, c'est-à-dire sa complicité. Rémi y retourna et découvrit avec effarement ce qui lui avait échappé alors. Un véritable climat d'espionnage.

Dès l'entrée, d'imposants gardes du corps aux mines d'agents secrets, en principe préposés à l'ouverture et à la fermeture des portes, munis d'oreillettes qui les reliaient à un quartier général dont il n'imaginait pas l'utilité, à moins de considérer des pulls griffés à l'égal de bijoux de la couronne. Un système de sécurité sophistiqué dont il ne pouvait croire qu'il était motivé par le seul spectre du vol à l'étalage. Tout un simulacre destiné à soutenir un siège et contenir des assauts. En fait, à impressionner plus qu'à rassurer le client. Car, à la réflexion, qui pouvait bien avoir envie d'attaquer un magasin en plein jour dans un quartier aussi paranoïaque ? Ces gens-là avaient fini par oublier qu'ils ne vendaient jamais que des vêtements. Il aurait jugé une telle démonstration de force avec la dérision qui sied s'il n'avait constaté l'omniprésence de caméras dans tous les coins. Elles étaient munies de focales suffisamment puissantes et discrètes pour se faufiler jusque dans ces cabines d'essayage où Victoria et lui s'étaient parfois abandonnés à leurs instincts dans la précipitation, elle profitant de l'enfilage d'une robe par le haut pour onduler tout en se frottant, lui incapable de résister à cet appel des profondeurs, leurs bouches et leurs mains tentant de condenser dans les quelques minutes qui les séparaient du retour de la vendeuse les figures de l'amour auxquelles ils avaient l'habitude de consacrer des heures.

Filmés, filmés, filmés... Encore et partout. S'il convenait de se protéger, ils auraient dû se protéger plutôt de la société de surveillance et enfiler le préservatif sur le visage. De quoi confirmer le paradoxe en vertu duquel ils n'étaient parfaitement libres que cloîtrés entre quatre murs. Mais d'une réclusion volontaire, celle qu'on s'impose pour en jouir.

Après avoir revisité deux ou trois de ces lieux stéréotypés, il se laissa porter par ses pas jusqu'à la place Vendôme, dont ils avaient si souvent admiré l'ordonnancement. Il lui fallut cette déambulation pour comprendre qu'à chaque fois qu'ils avaient fait du lèche-vitrines, ils avaient été filmés non seulement par les caméras des grands joailliers mais par celles de l'hôtel Ritz, dont un accident du travail passé à la postérité avait révélé qu'elles balayaient tout ce qui se trouvait dans le vaste champ de son entrée principale.

Rémi reçut le coup de grâce en retournant au parking où il avait vu Victoria pour la dernière fois. Une idée folle lui avait traversé la tête : des experts d'un laboratoire de la police, intrigués par l'état de sa voiture — une explosion d'airbags à l'arrêt, du sang issu des vaisseaux d'une verge en érection et répandu sur les fauteuils, on serait étonné à moins —, prélevant des échantillons sur le sol et sur les murs, tombant par hasard sur un curieux stalactite spermatique et procédant à une analyse d'ADN... Il fallait impérativement gratter la pierre sur un côté du box. Le dernier au fond à gauche.

Le rideau était baissé. Fermé à clé. Rémi tempêta, lâcha deux coups de pied, étouffa un cri et renonça. En remontant à la surface, il revit les tags qui l'avaient tant impressionné mais cette fois songea moins à des œuvres d'art abusivement muséifiées aussitôt qu'écloses, qu'au Tag des psychiatres, leur signe mnémotechnique pour désigner le trouble anxieux généralisé, indice suggérant que la maladie s'insinuait doucement en lui. Il s'approcha du plus élaboré d'entre eux, le caressa de la paume de la main. Rien. Plus de mystère, pas plus d'émotion, ni le moindre tremblement. Seule subsistait cette atroce farandole de sons diffusés par les haut-parleurs. Sous ses yeux, le dessin s'était effacé devant le syndrome clinique. Il se croyait gagné par la paranoïa. C'est-à-dire perdu.

En remontant à la surface, il s'apprêta à subir une remontrance du gardien. Curieusement, sa loge était vide. Il avait dû être appelé. Rémi fit deux pas en arrière, tourna la tête de gauche à droite et poussa la porte, qui n'était même pas fermée. Dans une pièce attenante, mais suffisamment à l'écart pour se dérober au regard des clients cantonnés derrière la vitre, il fut pris de vertige en se retrouvant face à un mur d'écrans.

Pas un coin du sous-sol qui n'échappât à l'objectif de la caméra. Les mouvements panoramiques permettaient de balayer tout le champ en permanence, et les zooms de focaliser sur toute apparition suspecte. Il ne lui fallut pas plus de quelques minutes pour en pénétrer l'architecture informatique.

Installé devant la console du commandement central, il programma la date et l'heure de sa dernière rencontre souterraine avec Victoria, puis fébrilement les coordonnées locales : troisième sous-sol, troisième pilier, numéro 36... Quelques secondes plus tard, sur l'un des téléviseurs, des images surgirent qui le clouèrent dans le fauteuil. Elle et lui s'embrassant, se caressant, se parlant. Leur traversée du couloir. Les contorsions de la caméra pour tenter vainement de les débusquer dans la stalle au-delà du rai de lumière. La lumière était d'un gris graineux, les visages de plus en plus flous au fur et à mesure que les plans étaient rapprochés, le tout assez pâteux, mais c'était bien eux. Ne manquait que le son. Les froissements de l'étreinte, les mots de l'amour. Ça l'aurait achevé. Rémi se leva d'un bond et entreprit de marteler l'écran de dérisoires coups de poing, comme pour lui faire rendre les images afin de les emporter, quand une main lui saisit fermement l'avant-bras.

« Qui vous a permis d'entrer ici ? »

Le responsable de la sécurité se voulait menaçant. Plutôt que de faire amende honorable, ou de mentir, Rémi laissa libre cours à sa colère et à son inconscience. Il desserra l'étreinte et saisit le vigile par le col de son uniforme.

« Et vous, qui vous a permis de violer l'intimité des gens ? Article 12, paragraphe 26 du Code, vous savez ce que ça coûte ?

— De quoi ? De quoi ? »

Il ne lui laissa pas le temps de vérifier sa référence de fantaisie et s'en fut à grands pas, non sans claquer la porte vitrée au risque de la faire éclater.

« Je ferai un rapport ! hurlait le gardien. Un rapport ! »

Mais Rémi était déjà loin.

Malgré leur obsession de la prudence, les deux amants n'avaient pas abandonné des traces mais des preuves sur leur passage. Tout était là. Enregistré. À la disposition d'une curiosité légalement intrusive. Celui qui ferait le lien entre ces chiffres, ces lieux et ces images saurait tout d'eux.

La société avait archivé leur vie secrète.

Dès lors, Rémi commença à se croire cerné. À l'Institut, à la maison, chez ses amis, tout autant que dans la rue, il se sentait dévisagé différemment qu'avant. Que savons-nous de ce que les gens savent de nous ? Pour l'avoir jadis tourmenté, la question le hantait désormais. Plus il avançait dans son enquête à reculons, plus il sentait le piège se refermer. Un piège dont Victoria et lui étaient les seuls responsables. Un filet dont ils avaient ensemble tissé les mailles. Sauf que, dans la nasse, il se retrouvait seul.

Les bourdonnements reprirent de plus belle, tandis que les cicatrices de sa blessure au sexe l'irritaient. Il en fallait moins pour l'angoisser. Avant, à la moindre rougeur sur le gland, il se croyait déjà sournoisement rongé par le sida. Sur le chemin du retour, il se précipita dès qu'il aperçut une croix verte clignoter au bout de la rue. Un antalgique puissant et une pommade pour dermatoses surinfectées feraient l'affaire. Mais pour la première fois, il se crut dévisagé par la pharmacienne, mémoire discrète des petits et grands désastres vicinaux, très au fait de toutes les maladies intimes du quartier.

Le lendemain, il eut le sentiment que son membre menaçait de se détacher. Ses couleurs étaient devenues inquiétantes. Après tout, dans l'affolement consécutif à l'explosion des airbags, le sperme et le sang s'étaient probablement mêlés. Personne à qui en parler. On a toujours du mal à confier à quiconque un léger trouble du côté du sillon balano-préputial. Aussi Rémi résolut-il de se rendre au laboratoire d'analyses le plus proche de son domicile, dès l'ouverture :

« C'est pour un test HIV, murmura-t-il en se penchant par-dessus le comptoir, à l'entrée, vers l'oreille de la secrétaire médicale.

— Vous êtes déjà client, il me semble… M. Laredo, n'est-ce pas ? hurla-t-elle en tapotant le clavier de son ordinateur. Asseyez-vous. »

Il s'exécuta en se morfondant car la salle d'attente était déjà à moitié remplie de gens du voisinage. Quelques minutes plus tard, elle l'appela en usant de sa voix de crécelle :

« Pour le test HIV, c'est tout de suite ! »

En se levant, Rémi sentit les commentaires dans son dos. La prochaine fois, même pour une simple prise de sang, il changerait de ville.

Parfois, il se surprenait à passer de longs moments

assis sur un banc du métro, s'acharnant à convoquer dans l'arrière-pays de sa mémoire les images et les odeurs de leurs rencontres, et les jetant à la diable sur un carnet. Ses intuitions devenaient impératives. Du moins les considérait-il désormais comme des injonctions. Qu'il s'y plie ou s'y dérobe, dans un cas comme dans l'autre leurs conséquences prendraient un tour tragiquement décisif.

Comme tous les samedis matin, Rémi sacrifiait au rituel des courses avec Marie. Ils s'en seraient inventé si nécessaire, tant y déroger eût inutilement bouleversé l'ordre des choses. L'occasion de saluer les voisins, de bavarder avec les commerçants du marché Poncelet, de prendre le pouls du quartier. Leur quartier, l'entre-deux du XVIIe, au cœur de l'arrondissement, à mi-chemin de la petite et de la grande bourgeoisie, à équidistance des artères populaires qui s'élançaient déjà vers le marché aux puces et des grilles patriciennes du parc Monceau. Entre cour et jardin. Y errer une fois par semaine avec l'approvisionnement pour alibi était une manière de se réconcilier avec son époque en retrouvant un temps qui n'est plus celui de l'urgence. Un temps où la vie, moins encombrée de bruits inutiles, rendait un son plus doux. Un autre rythme, fût-il provisoire et illusoire. Vertu des courses, pause dans la course.

Parvenus au croisement de la rue Laugier et de la rue Saussier-Leroy, Rémi saisit le bras de sa femme et pila devant l'école élémentaire.

« J'en étais sûr, j'ai oublié mon portefeuille, je reviens. »

Quelques instants après, sur le chemin du retour, il dut ralentir le pas tant le spectacle le sidéra. L'attendant à l'endroit même où il l'avait laissée, Marie jouait avec son ombre dans un rayon de soleil. De loin, elle avait tout d'une petite fille absorbée par la logique d'une marelle aux cases imaginaires, tracées à la craie sympathique pour un palet tout aussi invisible. Plus il s'en rapprochait, plus se révélait une jeune femme qui dansait avec le lumineux reflet de sa silhouette sur le bitume, au mépris total du qu'en-dira-t-on. Rarement il l'avait vue dotée de tant de légèreté, d'insouciance, de grâce. Un rayon avait suffi à susciter une émeute de signes d'une intensité insoupçonnable. Un simple rayon de soleil, ou plutôt ce qu'elle avait osé en faire. Car elle dansait vraiment toute seule dans la rue. Elle cessa quand il fut rendu à sa hauteur.

« Tu l'as retrouvé ?

— C'est toi que je viens de retrouver, fit-il doucement dans un sourire.

— Qu'est-ce que tu racontes ?

— C'est bête, mais ça m'a ému. C'est la première fois que je te vois faire ça. Comment as-tu pu...

— Parce que tu n'étais pas là. »

Tout au long de la journée, il fut absorbé par la méditation de cette repartie bien dans la manière de Marie, ces quelques mots plus profonds que le sarcasme annoncé, ce trait qui le laissait coi. Ainsi, énoncée par cette bouche-là, une vérité pouvait le clouer durablement. En rentrant, il se sentit soudainement trop las pour affronter le sadique émiettement du puzzle.

Le soir venu, ils se préparèrent à sortir. Un dîner chez des amis, prévu de trop longue date pour qu'il puisse se défiler. Marie lui pardonnerait d'autant moins qu'il s'agissait de son monde. Des gens du Palais que la crise économique avait enrichis plus rapidement et plus sûrement que ceux de leurs condisciples de la faculté de droit qui n'avaient pas eu leur flair. Rémi s'apprêtait donc à passer une soirée parmi confrères et congénères. Il s'y rendait comme toujours résigné mais animé d'un secret espoir, celui d'une rencontre hors de l'ordinaire. Un échange de regards suffirait, une conversation singulière, ne serait-ce qu'une phrase, une lueur même.

Sait-on jamais... Ces trois mots anodins, mais assemblés dans cet ordre et murmurés avec conviction, lui faisaient faire le tour de bien des mondes. Ils permettaient de tenir en société, de compromis en concessions, les deux mamelles des mariages vacillants. Car il ne subissait jamais en vain. Jamais pour rien. Dans le pire des cas, quand il avait le sentiment d'être confronté à un néant abyssal, il en ressortait un peu plus édifié sur la nature humaine. Toute sa philosophie de l'existence, du moins celle qui gouvernait son attitude dans la vie quotidienne, découlait au fond de cette douce devise dissimulant une profession de foi jusque dans sa ponctuation. Après tout, il avait fait la connaissance de Victoria dans un dîner où ils voisinaient. Les premiers échanges de regards, rendus plus denses encore par leur silence, avaient d'emblée décidé pour eux. Puis ils avaient parlé toute la soirée comme si les autres n'existaient pas. Au moment de se lever, alors qu'elle abordait seulement la question de la transe dans les scènes d'hystérie et les séances d'hypnose, et qu'il dressait un parallèle avec les rituels des chamans dans les sociétés de chasseurs-collecteurs du paléolithique, Rémi lui proposa qu'ils se revoient, un jour peut-être, afin de poursuivre une conversation qui les passionnait également. Avec une discrétion et une délicatesse qui la résumaient, elle fit un pas de côté de manière à se soustraire à la vue du groupe, pour inscrire son numéro de portable à l'intérieur du paquet de cigarettes de Rémi qu'elle avait ramassé sur la table. À lui le premier pas, à elle le premier signe.

Alors, sait-on jamais…

Sans être des voisins, les Forceville vivaient non loin, à la bordure du parc Monceau. Des relations professionnelles devenues des amis. Juste assez pour que la frontière soit parfois dangereusement floue. Aussi avocats l'un que l'autre. Un couple charmant. Des enfants adorables. Un appartement époustouflant tant par sa décoration, sa superficie que sa situation. Le genre d'endroit où les domestiques ont des domestiques. Le bonheur dans toute son horreur. Un monde épatant, mélange de tradition et de modernité reflétant une conception néoconsensuelle de l'harmonie, de l'équilibre et du bon goût en toutes choses. On y donnait l'illusion d'avoir réussi sa vie parce qu'on avait réussi dans la vie. Pour autant, il n'aurait pu leur en vouloir de quoi que ce soit. De toute façon, il n'y avait pas de quoi, il n'y aurait jamais de quoi, c'était bien là le problème. En un sens, l'image qu'ils renvoyaient d'une certaine joie de vivre les rendait atrocement irréprochables. Mais qui, dans leur entourage, pourrait comprendre combien Rémi jugeait suspecte et impardonnable une si parfaite réunion de qualités bourgeoises en un seul et même couple ?

Il ruminait encore son indifférence, sinon son aversion pour ce milieu en pénétrant dans l'ascenseur, quand Marie posa un baiser sur ses lèvres. Souvent mise à l'épreuve en pareilles circonstances, elle s'employait par avance à apaiser les manifestations de mauvaise humeur de son mari. Quand ils seraient rendus au sixième étage, la bombe serait désamorcée, en principe.

5

Bonsoir, comment allez-vous, pardonnez-nous ce léger retard, quand on est tout près on est toujours les derniers, tiens bonsoir ça fait longtemps, moi aussi ça me fait plaisir, Rémi Laredo, très heureux mais ce soir je suis surtout le mari de Marie, je vous en prie, juste un peu de champagne, évitons les mélanges, on ne se méfie jamais assez de l'alcoolisme mondain, la fumée ne vous dérange pas j'espère, et vous ça ne vous dérange pas si je respire pendant que vous fumez ? ne me faites pas un procès tous mes avocats sont là, vous n'imaginez pas le nombre de calories que contiennent ces inoffensives cacahuètes, ah tu la connais ? de toi à moi, j'ignore où elle s'habille mais je sais où elle se déshabille, deux glaçons mais pas d'eau merci, à Londres en Eurostar ? vous n'y pensez pas j'aime trop la mer pour lui passer dessous foi de skipper, tiens bonsoir, si j'avais su on vous l'aurait apporté, tu as lu ? moi non plus mais on m'en a tellement parlé que c'est tout comme, de toute façon je préfère ses biographies à ses romans, le stationnement dans ce quartier est infernal, vous avez écouté les informations ? ça ne s'arrange pas, ne me parlez pas de la Bourse j'ai envie de passer une bonne soirée, racontez-moi quelque chose de drôle plutôt, moi l'autre jour une femme m'a invité à déjeuner puis envoyé des fleurs, ce n'est pas drôle c'est bouleversant, je vous envie...

Impossible de finir une phrase. Heureusement. Rémi avait déjà envie de partir. Il chercha Marie, l'emmena doucement par le bras, chérie je crois que je m'en vais, il y en a un parmi eux qui mâche encore son chewing-gum, je ne supporte pas, tu ne vas pas commencer ton cinéma ! ce n'est pas du cinéma, je ne me vois pas passer la soirée en face d'un ruminant, ça se veut éduqué et puis quoi, ça va coller son truc dans le cendrier ou sous la table juste avant le premier plat, et personne n'osera rien dire de ce qu'il est à cause de ce qu'il représente, oublie-nous chéri tu veux bien ? bonsoir, comment allez-vous depuis l'autre soir...

Était-ce son étonnant pouvoir de dédoublement, récurrence de siècles de pratiques marranes durant lesquels ses ancêtres convertis au christianisme n'en avaient pas moins continué à judaïser en secret ? Sa mémoire archaïque avait-elle fini par intégrer cette duplicité jusqu'à en faire un atavisme familial ? L'héritage de cette histoire si singulière l'avait-il fait passer maître dans l'art de la double allégeance ? Lui devait-il ses tendances cryptophores dont nul n'avait encore retrouvé la source ? Toujours est-il que lorsqu'il pénétrait dans une pièce où d'autres étaient également convoqués, que ce fût dans le cadre professionnel, ou dans le contexte purement social du divertissement et de la mondanité, Rémi avait la faculté de prendre ses distances. Autrement dit de se projeter mentalement hors de la scène dont il était l'un des acteurs et de l'observer de haut, le regard en plongée faisant alterner grand angle et téléobjectif au gré des situations. Dans cette perspective, toute réunion d'individus prenait l'allure d'une comédie jouée à leur insu à tous pour le privilège d'un seul.

La maîtresse de maison eut l'élégance de placer les invités avec décontraction, l'air de ne pas y toucher, la moindre hésitation préméditée, vous ici, toi là ou plutôt là, vous je vous veux près de moi, toi va là-bas et restes-y. Sa grâce et sa désinvolture ne laissaient deviner en rien un plan de table savamment mis au point en fonction d'une science éprouvée des conflits d'intérêts et d'un savoir encyclopédique des susceptibilités de ses contemporains. Rémi eut donc tout le loisir de se demander pourquoi elle avait jugé bon le placer entre une femme d'une laideur simiesque et un homosexuel des plus séduisants.

Que ce fût dans un univers encore plus compassé ou nettement plus décontracté, Rémi avait suffisamment eu l'occasion d'arpenter la France des banlieues bourgeoises et des soupers de notables en province pour savoir que partout, quel que soit le milieu, pêle-mêle social que l'on désigne comme une société par excès de politesse, tout dîner est un cérémonial. Il obéit à un rituel immuable, pétri de conventions, dont les invariants sont plus nombreux qu'il ne l'eût cru. Quels que soient la beauté du cadre, la saveur des mets, la qualité des commensaux, le mélange des genres, le savoir-faire de la maîtresse de maison, on ne sait jamais rien de l'issue d'une telle réunion. Rien n'est joué d'avance même si chacun croit connaître sa partition. Tout peut arriver, y compris chez des amis. Surtout chez des intimes. Certaines soirées sont touchées par la grâce, d'autres lestées par le plomb. Pourquoi s'y rendrait-on si l'on n'était animé du secret désir d'être confronté à l'inconnu ?

Étrange alchimie. Un mot de trop fige l'éphémère. Ce peut être le mot qui tue. Un détail imperceptible et la fusion opère, ou pas. Un rien suffit pour que flotte dans l'air un parfum des Lumières, un rien suffit à le dissiper. Pour que la conversation soit célébrée comme un art au grand bonheur de tous et de chacun, ou qu'elle devienne fosse commune aux lieux communs. Pour qu'un souffle s'insinue afin que ces quelques heures soient magiques, ou pour qu'elles tournent à la réunion de consommateurs nantis. On peut même assister à ce spectacle rare : des gens qui parlent et qui pensent en même temps. Qu'importe si l'on est superficiel, du moment que l'on couvre une grande superficie. Car il s'agit bien de cela. Parler pour ne rien dire, bavarder pour ne rien signifier, rester brillamment à la surface des choses, rendre le futile capital et inversement, évoquer gravement des choses légères et légèrement des choses graves, puisqu'il convient d'éviter ce qui pourrait paraître pesant. Tous ces gens étaient bien réunis pour l'ouvrir, non dans le seul but d'enfourner mais pour émettre des sons qui feraient sens.

Le plus souvent la musique de la conversation suffit. Mais, d'une manière ou d'une autre, on n'envisage pas une telle assemblée convoquée pour mettre des taiseux en présence. Pourtant, quel enchantement ce serait, un dîner de silences. Une addition de non-dits. Tout passerait par les regards et les gestes. On n'y gagnerait peut-être pas grand-chose, mais, en l'espèce, ce serait déjà beaucoup. La moindre mimique prendrait une signification considérable. Non parce que le mutisme serait imposé telle une règle d'airain. Mais les paroles échangées auraient le caractère de l'essentiel. Aussitôt émises, elles se verraient frappées du sceau de la rareté. On célébrerait alors les funérailles de l'insignifiance.

Rémi en était là de ses méditations en solitaire quand le vol-au-vent ne paraissait plus qu'un souvenir dans leur assiette. Chacun des invités se laissait absorber par des apartés. À sa gauche, sa voisine se décida à l'entreprendre quand elle comprit que sans cette initiative elle risquait d'ignorer jusqu'au son de sa voix. Je parle donc je suis, telle devait être sa devise. Du genre à ne connaître le silence que par ouï-dire. De celles avec qui on n'a pas spontanément envie de s'étendre sur les intermittences du cœur. Elle devait le prendre pour un de ces extraterrestres dont parle la télévision sans se douter un seul instant qu'il la considérait de même, mais en plus monstrueux. Il est vrai qu'elle était aussi squelettique que dynamique. Un cadavre en pleine forme. Parfaitement conforme au dicton d'une altesse royale américaine : jamais trop riche, jamais trop maigre. Pas nette, de surcroît : au vu de ses mains, on se réjouit de ne pas voir ses pieds. Au moins ces gens venus d'ailleurs étaient-ils nimbés d'une poésie qui leur conférait un vrai mystère. Alors que chez elle, décorée à grands renforts de bijoux tel un sapin de Noël disgracié par une nature hostile, on ne pouvait se raccrocher à aucune branche. Sa physionomie annonçait son âme. Elle n'était pas assez étrange pour que Rémi lui fît l'honneur de l'enrôler dans son bestiaire paléolithique.

Il n'essaya donc même pas de deviner à quelle activité elle pouvait consacrer ses travaux et ses jours tant la vulgarité de son expression l'accablait. Mais en société, même quand on ne veut rien savoir, on sait quand même. Il ne put longtemps rester sans être informé que, grâce à un culot sans bornes et un sens consommé de l'esbroufe pseudomédicale (tout dans l'accueil, la décoration, l'atmosphère), elle avait monté avec succès des parapharmacies aux allures de supermarchés cliniques. Une chaîne désormais, qu'elle s'apprêtait à franchiser dans le même culte effréné du blanc de blanc, la couleur qui guérit et conditionne tant et si bien qu'elle fait acheter une bouteille d'eau minérale avec toutes les précautions exigées par de la morphine. Elle n'avait que son chiffre d'affaires pour impressionner. Sa forme d'intelligence, qui était indéniable, se réfugiait exclusivement dans le culte du profit. D'où vient l'argent ? Pour une fois, il avait la réponse à sa question. En chair et en os. En sons aussi, car elle avait une voix à claques.

« Et vous, vous êtes aussi du palais de justice ?

— Non.

— Même pas...

— Même pas en examen. Désolé. »

La réponse de Rémi était si ferme, si manifestement sans appel, et son sourire si forcé, qu'elle n'insista pas. Pas dans l'instant. Au moins avait-elle cette finesse-là. Mais peu après sa curiosité repartait à l'assaut. Non qu'elle fût exagérément intrusive, mais elle appartenait d'évidence à cette catégorie de personnes qui ne peuvent appréhender une présence humaine qu'en fonction de sa place exacte dans la société. Non ses qualités intrinsèques mais sa profession, donc sa position supposée, seul paramètre envisageable.

« Dans ce cas, que faites-vous dans la vie ?

— L'art pariétal, vous voyez à peu près...
— Dentiste ?
— Pas tout à fait. J'étudie les dessins sur les parois des grottes préhistoriques...
— Ça doit être passionnant. Et, à part ça, qu'est-ce que vous faites dans la vie ? Je veux dire, votre métier...
— La même chose. »

Alors elle le toisa comme s'il avait été un clochard puant qui se serait trompé d'étage en cherchant le centre médico-social où on pourrait le renseigner sur sa séropositivité. À cette seule pensée, par esprit d'escalier, Rémi plongea la main gauche dans sa poche et tapota les résultats négatifs du laboratoire d'analyses. Êtes-vous sûr d'elle ? Évidemment, ces médecins sont d'un crétin, parfois, comme si une femme telle que Victoria pouvait être soupçonnée d'impureté. D'ailleurs, dès la première fois, ils n'avaient jamais imaginé de s'aimer par l'intercession d'un capuchon en caoutchouc. Ils n'étaient pas de la génération du plastique, lequel aurait tout gâché. La confiance était totale, voilà tout, même si ni l'un ni l'autre ne pouvait jurer du comportement de son conjoint légal. Le sarcasme du dermatologue le taraudait, vous êtes pourtant bien placé, professeur Laredo, pour savoir que toute grotte est une champignonnière, vous auriez dû vous méfier... Ridicule. Rémi préféra faire un nœud à son inconscient pour ne pas oublier de détruire la feuille du laboratoire, avant de rejoindre une conversation qui promettait.

Il émergea de son bref échange avec sa voisine un peu plus édifié sur l'arrogance des riches. Mais, en l'écoutant parler avec les autres, il se prit d'intérêt pour elle. Enfin, un certain intérêt, s'inscrivant bien dans la curiosité anthropologique qu'il développait pour les relations de Marie et leurs affidés. Il ne tarda pas à se demander non à quel âge elle avait quitté l'école mais si elle y était jamais allée. Ce personnage était exceptionnellement intouché par la moindre culture. Ou par le doute, ce qui revient au même. La pointe d'agressivité avec laquelle elle s'exprimait révélait son désir forcené de ne surtout rien apprendre qui puisse contrarier ses fermes convictions. Elle possédait cette singularité de n'intervenir dans les échanges que pour rappeler avec une assurance stupéfiante la raideur doctrinaire de son goût et l'étendue de son ignorance. Mais elle le faisait avec une telle volonté de paraître moderne que ses interventions produisaient un effet comique irrésistible dont Rémi, attentif faute de mieux, semblait être le seul à profiter. Plus familière des chiffres que des lettres, elle devait rédiger ses chèques en phonétique. Sa connaissance des choses était purement euphonique. S'il osait, il la brancherait sur la dernière destination à la mode, celle qui a détrôné Cuba, un nouveau pays d'Amérique latine, le Costa-Gavras. Totalement dénuée d'humour, elle n'envisageait pas l'existence d'autres degrés que le tout premier. Ce n'était même pas une question de génération : elle avait ceci de commun avec l'armagnac des Forceville qu'elle était hors d'âge. Quand la conversation porta sur les beautés vaticanes, elle crut bon insister sur le souvenir ému qu'elle en conservait :

« Surtout la chapelle sixties, une pure merveille ! » répéta-t-elle avec un accent oxfordien appuyé sur le iiiiiii sans que nul ne songeât à la reprendre.

« Probablement l'œuvre d'un tagueur de génie », murmura Rémi à part lui mais assez distinctement pour que son voisin de droite lui adressât un sourire amusé, créant ainsi un début de complicité.

Avant l'arrivée du curry d'agneau, l'hôtesse avait réussi à mettre tout le monde au diapason. À mobiliser la douzaine de personnes présentes autour d'un même sujet, puis à trouver un sujet de substitution après que le précédent eut manifesté les premiers symptômes de l'épuisement. Tous sauf Rémi, perdu dans son monde. Il émergeait parfois de son brouillard pour capter quelques mots clés du brouhaha afin de réagir au cas où une bonne âme se rappellerait sa présence.

À bâbord, on demandait quelle était la première cause de divorce en Île-de-France, laissant les plus sérieux réfléchir de longs instants avant de glisser la réponse (le mariage) avec une nonchalance étudiée. Un convive trouva un sursaut d'audace pour demander à sa voisine si elle était fidèle à son mari quand il partait pour de longs voyages d'affaires en Afrique, à quoi elle lui répondit aussitôt, en un sourire troublant, avec plus d'audace encore : « Souvent, monsieur, souvent... » À tribord, on racontait avoir vu dans le métro un jeune sans-domicile-fixe tendre la main devant un panneau où il avait écrit : « Donnez-moi de l'argent s'il vous plaît » sans aucun succès, alors qu'au bout du même couloir, un autre, tout aussi jeune, récoltait des pièces en quantité et même des billets pour avoir écrit sur le sien : « Donnez-moi de l'argent.com » ; mais le récit à la première personne était fait d'un ton si pénétré qu'on ne savait trop si c'était du lard ou du cochon, s'il fallait s'en étonner ou en sourire, d'autant que cela révélait la présence parmi les invités d'au moins un autre usager de la RATP, presque une bande. Au centre, Rémi perçut vaguement un discours pérorant sur la nécessité de privatiser les océans. Le projet lui parut si obscène qu'il ne tenta même pas de relever. Certains s'exprimaient en bâtons, d'autres en KF, quelques-uns en euros. Nul n'avait encore eu l'indécence de se plaindre du montant de ses impôts, mais à la direction dans laquelle le vent soufflait, on sentait que ça n'allait pas tarder. Certains, qui souffraient visiblement d'hernie fiscale, se disaient prêts à former les bataillons du parti des émigrés, ne s'excusant même pas de ne plus aimer la France au seul motif, sonnant et trébuchant, qu'elle leur paraissait soudain moins aimable.

Quelqu'un aurait-il prononcé un mot qui avait déclenché une réaction en cascade dans sa mémoire ? Toujours est-il que le sourire de Victoria s'imposa à nouveau. Celui qu'elle arborait à chaque fois qu'ils s'adonnaient à une pratique qu'il lui avait révélée, devinant que sa légère dilection pour un certain exhibitionnisme et son goût mesuré du danger y trouveraient leur compte. L'amour en public, en plein jour mais en cachette. Jouir sous le regard de tous mais à l'insu de chacun, rien ne l'excitait comme cette perspective. Rémi déployait toute son imagination pour inventer un nouveau scénario quand leur humeur du moment les portait à ce jeu. Les endroits ne manquaient pas. Plus l'entreprise était audacieuse, plus elle en était stimulée. Quand ils eurent épuisé l'inventaire des lieux les plus convenus, des toilettes mixtes de la mairie du XIe arrondissement au dernier rang d'une salle de cinéma, il l'avait surprise au-delà de tout espoir à deux reprises en pénétrant main dans sa main, au culot, dans le salon d'apparat, désert, du ministère de la Culture et, quelque temps après, non loin de là, de l'autre côté du Palais-Royal, dans une loge de la Comédie-Française, pendant une répétition. Fallait-il qu'ils fussent un peu bizarres pour trouver un plaisir sans mélange dans le fait de se prendre à la dérobade, debout contre un mur, à vingt mètres, autant dire à un souffle, d'un ministre en réunion ou d'une troupe en plein marivaudage. Rien ne valait l'exaltation de ces moments où il ne tenait qu'à un fil qu'ils fussent découverts puis confondus sinon dénoncés. Mais ils plaçaient désormais la barre si haut que leur surenchère finirait par les mener à la catastrophe. Aussi mirent-ils un léger frein à leur secrète inclination. La dernière fois, c'était juste après déjeuner. Paris était obscurci par un ciel de suie. La pluie tombait sans discontinuer. Ils hélèrent un taxi porte de Versailles et, incertains de leur destination, le lancèrent dans un tour du boulevard périphérique. Le choix de l'itinéraire était déjà un programme, à la fois plus confortable et plus risqué que le centre-ville ; la vitesse de la circulation autour de Paris à une telle heure leur permettait de se soustraire aux regards des automobilistes tout en redoutant les ralentissements inopinés au moindre bouchon. Quel plaisir de susciter l'indiscrétion d'autrui, quelle catastrophe de ne pas la satisfaire : on se cache avec l'angoisse de n'être pas trouvé. Porte d'Italie, ils cessèrent enfin de s'embrasser. Porte de Charenton, soudainement frileuse, elle se dissimula sous un manteau disposé en couverture afin de lui permettre de glisser ses mains sous sa jupe et de la retrousser jusqu'au nombril tandis qu'elle écartait les cuisses. Mais à partir de la porte de Vincennes, le chauffeur commença à lancer des regards de plus en plus insistants dans son rétroviseur. Peut-être doutait-il, mais cela n'en créait pas moins une promiscuité malsaine. Le troisième personnage faisait partie du jeu à condition de rester en dehors. Alors Victoria prit l'initiative de se pencher vers lui, les bras reposant sur le dos de son fauteuil, pour mettre à contribution sa connaissance des rues de la capitale. Tandis qu'elle le mobilisait par sa conversation à l'approche de la porte de Bagnolet, Rémi, tout en regardant ostensiblement le paysage qui défilait par la fenêtre, la caressait avec une désinvolture étudiée. D'autorité, sans même se retourner ni lui laisser le temps de reprendre l'initiative, elle saisit sa main gauche et l'emmena au plus profond d'elle-même durant de longs instants avant de lui suggérer l'effleurement, puis de s'abandonner à ses doigts sans cesser de feindre un intérêt soutenu pour la logique des sens interdits. Porte des Lilas, elle ondulait tellement tout en parlant d'abondance qu'il réprima à grand-peine un fou rire. Puis, après s'être tendue, son corps traversé par plusieurs secousses entre la porte de la Chapelle et la porte de Clignancourt, elle se tut enfin et posa un instant la tête sur ses mains, heureuse et apaisée, juste dans le dos du chauffeur vaincu par son épuisante curiosité de la topographie parisienne.

Et ce soir, Rémi se retrouvait dans un dîner non loin de la porte de Champerret où le taxi les avait débarqués légèrement titubants. Il souriait à cette seule pensée mais nul autour de la table n'aurait pu deviner l'origine de son doux flottement. Son esprit réincarné dans un portrait d'ancêtre suspendu entre deux monochromes rouges, il observait désormais le conclave avec le détachement de celui qui n'en aurait été l'un des acteurs que pour mieux l'espionner. Il se prenait pour l'aïeul des Forceville. Une telle projection dans le temps et dans l'espace le dotait d'un recul suffisant pour juger tant de la décadence de cette famille jadis glorieuse que de la somme de grandes hypocrisies et de petites trahisons à l'œuvre dans cette pièce.

Il ignorait certains noms mais ça ne l'empêchait pas d'identifier sans trop se tromper les uns et les autres. Le microcosme représenté ce soir-là était si naturellement typé, pour ne pas dire archétypé, que l'on pouvait désigner chacun de ses membres par son nom d'espèce. Il suffisait de prêter l'œil et l'oreille, et de les prendre l'un après l'autre en considérant l'ovale de la table comme celui d'un cadran de montre. La dissipation des états civils faisait saillir vices privés et vertus publiques avec une acuité inégalée. De toute façon, il est toujours délicat de déplier un nom.

Chacun son rôle. Un froncement de sourcils aussi bien qu'un tremblement de terre auraient pu les en faire sortir. Ça tenait à presque rien. C'est pourquoi nul n'était prêt à y renoncer si facilement. Il y avait La Sportive, blonde au teint légèrement hâlé, un corps où tout était parfaitement en place dans les quantités recommandées par les magazines féminins et les proportions suggérées par les magazines masculins, le rire adorablement mutin, qui donnait le change avec brio mais semblait se ficher royalement de tous les enjeux. Rémi, avec qui elle avait eu jadis une liaison, lui renvoyait ses sourires de l'autre bout de la table. Des signes d'une nature insoupçonnée, secrètement scellée par une complicité acquise en se chevauchant dans un lit. Après, quoi qu'il arrive, on ne se regarde plus de la même manière. On est connivents pour toujours puisque, en toutes choses, et plus encore en amour, on n'oublie jamais les premières fois. Leur intimité avait façonné un monde de souvenirs communs qui avait survécu à leur séparation ; il aurait toujours plus d'indulgence pour le désir que pour l'hypocrisie. Le goût de cette liberté dérobée leur était encore des plus doux. Entreprise par la plupart des hommes de la soirée malgré la présence de son mari, elle venait juste de remettre à sa place un mufle qui avait le mauvais goût de gloser sur la frigidité féminine en lui rétorquant qu'il n'y a pas de femmes frigides, que des mauvaises langues. Au vrai, son visage reflétait pour qui savait le lire l'expression si particulière de celles qui vivent dans le péché, véniel ou mortel, *ad libitum* selon les saisons. Une manière de regarder les hommes puis de se laisser désirer par eux. D'engager la conversation sur un rien et de s'en dégager sur une promesse. Une aptitude à s'isoler en public dans une bulle imaginaire pour s'abandonner quelques instants à une rêverie d'une sensualité insoupçonnable. Un désir irrépressible de ne plus rien laisser passer qu'on puisse un jour regretter. Une audace qui peut mener très loin. Mais vit-on vraiment dans le péché quand on s'envoie en l'air le mardi avec son prof de gym et le vendredi avec son prof de golf ? On poursuit sa leçon par d'autres moyens. Ça ne porte pas à conséquence. D'autant qu'à la fin on paie toujours. Ce qui remet chacun à sa vraie place. Juste un péché mignon.

À sa gauche, L'Aristocrate, le plus simple de tous les convives, qui faisait grâce à la société de tous les courants d'air et rallonges de son patronyme pour n'en conserver que le principal, celui qui suffisait à le distinguer. La courtoisie faite homme, un charme indéniable, un quant-à-soi admirablement tenu, la mesure incarnée quels que fussent la situation ou le propos, juste un peu de tout en tout, mais pathétique tant il paraissait écrasé par son éducation. Sa politesse d'un autre âge. Même sa patience relevait de l'anachronisme. Tant et si bien que ses trop bonnes manières dressaient un mur d'obstacles entre lui et les réalités du siècle de l'urgence. Elles lui faisaient accomplir en un délai infiniment long ce que d'autres réalisaient en un instant. Son problème, ce n'était pas le peuple, ni la roture, dont il s'accommodait avec élégance, mais le temps.

À côté de lui, sans étiquette et pour cause, Marie Laredo. Quoique L'Avocate lui aille bien. Plus Rabaut-Pelletier que jamais. Non qu'elle ait jamais eu honte de ce mariage. C'était son choix contre celui de sa famille. Elle l'assumerait totalement, dût-elle découvrir en bout de course qu'une femme n'engage pas sa vie uniquement parce qu'à vingt-cinq ans elle a cru avoir trouvé le parfait antimodèle de son père. Mais si, dans un tel cercle, Me Rabaut-Pelletier n'affichait pas l'orgueil des siens, où le ferait-elle ?

Poursuivons. À sa droite Le Bronzé. Il l'est toute l'année. Paradoxalement, quand il était encore avocat, il avait l'air un peu plus blanc. Depuis qu'il a quitté le barreau pour monter une société d'investissement dans le multimédia, il semble poursuivi en permanence par des rayons invisibles. Été comme hiver. D'ailleurs il sent la douche. Le fait est qu'il se trouve en vacances la moitié de l'année. En tire une morgue considérable. Surtout quand il revêt son smoking, pardon, son noir de travail. À l'observer et à l'écouter, on se dit que, manifestement, il n'est pas animé par la haine de soi. A dû s'enrichir à ses débuts en lançant une souscription en faveur de la veuve du soldat inconnu, mais n'aime pas qu'on le lui rappelle, non plus que ses origines sociales. On sent qu'il a quitté récemment la cuisine pour être invité à la table du maître. Le genre de personnage qui est le premier à crier « Remboursez ! » à la fin d'un spectacle où il a été invité. Il est à l'image des grands bals de notre temps : des soirées médiatisées, sponsorisées et défiscalisées. Mais sa superbe ne tient qu'à ses béquilles technologiques. Qu'on lui cache son téléphone portable et ses cartes de crédit pendant quarante-huit heures et l'homme devient légume. Capable de vous entretenir quarante minutes d'affilée des difficultés à trouver un anneau pour son bateau à Cannes ou Saint-Tropez, il réussit à mobiliser l'attention par une étude comparée des plages privées du littoral méditerranéen et de la côte landaise saison par saison. Au vrai, un tel individu est indispensable, car dans ce monde ils sont tous peu ou prou atteints du même syndrome. La seule métaphysique à laquelle ils soient accessibles est balnéaire. D'où venons-nous ? De la montagne. Où allons-nous ? À la mer. Ils ont la passion de la villégiature, passée et à venir, sujet inépuisable et en constant renouvellement, auquel ils consacrent une grande part de leur conversation.

L'Intellectuelle, à sa gauche, n'est pas en reste. Grande bourgeoise qui s'est longtemps cherchée, si l'on en juge par le caractère hétéroclite des diplômes qu'elle dit avoir accumulés, elle ne semble pas vraiment s'être trouvée. Se dit volontiers mélancolique, plus distingué que déprimée, qui fait trop pharmaceutique. Il n'est pas nécessaire de lui gratter longtemps l'inconscient pour s'apercevoir qu'elle en veut encore à sa mère de lui avoir infligé la vie. Convaincue d'avoir raté l'éducation de son fils unique du jour où elle a su que Ralph Lauren était son écrivain préféré. Tout en elle passe par le filtre de la connaissance. Sait beaucoup de choses mais rien de plus. Si elle n'avait pas entendu parler de l'amour, elle ne serait jamais tombée amoureuse. Son langage est d'une grande précision. Chacun de ses mots restitue la réalité matérielle d'une chose. Prête à considérer comme une œuvre conceptuelle de tout premier ordre une retransmission, intégrale et sans commentaire, des internationaux de Roland-Garros sur France Culture : ploc... ploc... ploc... ploc-ploc... clapclapclapclap-clap!.... 15-30... Un peu de silence, s'il vous plaît... ploc... ploc... S'intéresse à tout, peut parler de tout, en plusieurs langues. De la nécessité de restreindre l'accès de l'internaute moyen à la séquence génétique complète du virus de la variole. De l'intérêt de restaurer la rhétorique du Grand Siècle pour jouer enfin *Mithridate* comme la pièce le mérite. De la proscynèse qui fit que Rembrandt représenta presque toujours dans ses dessins un homme en position dominante par rapport à une femme en état de prosternation. Ou des répercussions financières entraînées par l'expiration imminente du brevet exclusif sur l'agent actif du Prozac. Psychologue dans un centre médical d'une banlieue défavorisée comme d'autres sont visiteurs de prison, elle visite ses malades à la manière des dames de charité avec leurs indigents. Les vacances, elle n'y est pas hostile. Mais elle dénoncera la futilité d'un farniente qui exclut livres, musées, expositions et concerts. Trop prévisible de toute façon. N'a de cesse d'aiguiller la conversation sur le dernier film ou la dernière pièce. Confond culture et actualité culturelle. Ayant appris à lire, elle tient à amortir son investissement, elle aussi. Rémi se félicite d'être placé hors d'atteinte. Si elle savait son itinéraire, elle ne le lâcherait pas de la soirée. Il préfère encore subir l'improbable babil du phénomène qui a inventé de transformer les apothicaires en pompe à fric, laquelle est de toute façon trop refroidie par son autisme pour lui adresser encore la parole.

Le Chasseur. Dans le civil, il est administrateur judiciaire. Preuve de son ascension sociale, il a depuis longtemps troqué sa casquette Bigeard contre une Motsch en tweed aussitôt commandée par dizaines à ses mesures, qu'il ne retire que pour se coiffer de la bombe. On l'imagine dans son manoir, recevant ses relations dans un salon aux murs et plafonds tapissés de massacres de cerfs. Il espère être accepté par un équipage dont l'un de ses clients est membre et rêve de recevoir un jour le bouton de veneur. En attendant, il ne se contente pas de faire haut et fort l'éloge du rituel des laisser-courre. Il ne peut s'empêcher d'en rajouter en sonnant l'hallali contre les ennemis de toute chasse. Le nouveau converti se croit toujours tenu d'en faire plus que tous les autres réunis. Donc, d'en faire trop, ce qui rend vulgaire tout ce qu'il touche. Si sa famille avait quelque illustration, ce qu'à Dieu ne plaise, on ne dirait pas qu'il descend de ses ancêtres, mais qu'il en dégringole.

L'Aristocrate, qui a appris à marcher en suivant les chiens de son grand-père dans les battues solognotes, sourit sans commenter. Mais sa moue était bien plus éloquente que toute critique. Il capta aussitôt l'agacement de Rémi, le seul à ne pas écouter béatement le discours de l'arriviste des futaies. Il se pencha à travers la table et, à voix basse :

« Vous ne supportez pas, n'est-ce pas ?

— Pour moi, tout cela se réduit à un mot sauvage de

Wilde. Vous souvenez-vous de la manière dont il résumait la chasse à courre ? demanda-t-il malicieusement.

— Je suis tout ouïe...

— L'innommable à la poursuite de l'immangeable.

— C'est ce que je redoutais », fit L'Aristocrate, beau joueur, en se redressant.

Puis, incapable de réprimer un rire intérieur, il lâcha assez fort pour interrompre la péroraison dominante :

« Ah, Oscar !

— Qui ça ? demanda Le Chasseur.

— Quelqu'un, fit L'Aristocrate en désignant Rémi du menton, vous me pardonnerez, je l'espère, cette inélégance mais c'est entre monsieur et moi, une *private joke.* »

À ses côtés, La Femme de Quelqu'un. Rien d'autre ne la situe. Un visage à la fois inexpressif et saturé d'expressions. On ignore sa profession. Si toutefois elle en a une, elle n'insiste pas. Agréable, souriante, d'un contact aisé, elle vit dans l'ombre de son mari et officiellement s'en contente. Préfère se faire oublier. Du moins dans ce cadre. Sa vraie vie est ailleurs. À l'insu de tous. Mais où ? Nul n'en saura rien ce soir et tous les autres soirs. Un complet mystère que cette présence si discrète qu'on la croirait décorative et insignifiante, même s'il est entendu que le mystère peut aussi bien dissimuler l'être que le néant. Mais, à l'observer, on se dit que certaines vérités s'écoutent mieux quand elles sont chuchotées qu'elles ne s'entendent quand elles sont proclamées.

Le Cynique. Intelligent, rapide, cultivé, vif, drôle, nerveux, impatient. Du genre à lire la notice de fonctionnement pour tromper l'ennui dans un ascenseur. Peut être agressif en société, juste pour rendre l'atmosphère plus tonique, sinon plus tendue. Assez vicieux pour imposer le mal tout en suggérant le remède. Fait songer à ce diplomate russe qui s'était taillé une belle réputation dans les cocktails en se plaignant régulièrement, à mots couverts, de l'étroitesse des Françaises. Juste assez snob pour arriver en retard à ses propres dîners. Vit dans la terreur de n'être pas incompris. Rien ne résiste à sa détestation du genre humain, alors à quoi bon toutes ces qualités ? Sa vision du monde est plus que désenchantée. Elle tourne tout en dérision. Rien à sauver. Le fait est que rien ne survit à son nihilisme. Une hécatombe dont il vaut mieux rire. Assure avoir trouvé dans le supporter de football le chaînon manquant entre le singe et l'homme. Capable de glisser dans la conversation sur un ton badin que Hitler s'est suicidé quand il a reçu sa note de gaz. Rien de plus facile pourtant que de le désarçonner. Une petite bombe à retardement et ce serait la panique ce soir dans son couple. Des hurlements à réveiller les voisins. Il suffirait de glisser quelques préservatifs dans sa poche, cela ferait plus d'effet que des sachets de poudre. Mais il s'en tirera toujours car il a le verbe de son côté. Épuise avant d'être épuisé comme tous ceux qui s'épanouissent dans le conflit. Celui qui écrira un reportage sur sa vie conjugale ne devra pas être chroniqueur mondain mais correspondant de guerre.

Plus loin, La Créature. Bien faite et encore mieux refaite. Ses formes sont l'œuvre d'un artiste. Elle n'était pas belle, elle était pire. Rémi n'aurait voulu la déshabiller que pour tenter de déceler la signature du chirurgien quelque part dans l'inachevé, derrière un repli, sous une ride. Le fait est que nulle autre qu'elle autour de cette table n'a les seins aussi triomphalement dressés au-dessus de l'assiette. Toutes les autres les ont en dessous du niveau de la mer. Les plus jalouses de ses rivales la considèrent comme un produit d'appel de la Silicon Valley, ou l'évoquent avec mépris comme un OPM (organisme plastiquement modifié). Les autres, des messieurs il est vrai, ne résistent pas à l'incarnation de leur fantasme éternel. Surtout s'il s'avère qu'en sus d'une silhouette lipposculptée par un virtuose de la canule, ledit fantasme a quelque chose entre les oreilles, recollées il est vrai. On persifle sur son passage, mais persiflerait-t-on dans le dos d'un homme qui se ferait pousser un potager sur la tête, relever les paupières et raboter le menton ? Et si cela se savait, que dirait-on de ces hommes atteints de dymorphobie, tant la longueur ou le diamètre de leur sexe les obsède ? Ou de ceux qui, avançant en âge et ne supportant pas que l'enveloppe de leurs parties génitales se distende, subissent un lifting de la peau scrotale. Si elle avait été vulgaire, la Créature délicieusement formatée aurait arrangé tout le monde. Telle quelle, elle leur posait problème, ce dont Rémi se réjouissait secrètement.

Le Prince Consort. Époux d'une femme qui a très brillamment réussi, il n'a pas droit à l'existence. À la maison, il doit regarder sur Canal +, en cachette, dans la nuit de samedi à dimanche, l'émission qui en complexe beaucoup et en rassure quelques-uns, et se reporter fébrilement sur une chaîne diffusant un documentaire animalier, programme presque aussi bestial, dès qu'elle entre dans la pièce. Uniformément terne, comme son costume. À croire que toute sa matière grise s'y est réfugiée. Capable de s'envoyer des lettres anonymes pour mettre un peu de piquant dans sa vie. Semble anéanti par sa charge auprès d'elle : faire-valoir, chauffeur, secrétaire, porte-valises… Occupe pourtant une place enviable dans la haute fonction publique. Il n'empêche : ici, il n'est que le mari de. N'ose plus dire un mot de crainte d'être publiquement rappelé à l'ordre. Écrasé, il finit par bégayer alors qu'à son bureau il s'exprime parfaitement. Inhibé en société par la force des choses. Pathétique. Est-ce aussi violent quand la domination s'exerce dans le sens contraire ? Rien de moins sûr. Ce qui le sauve : il semble parfois ruminer une vengeance qui étonnera le monde.

La Divorcée. La meilleure amie d'Aude Forceville. Elles avaient fait leurs études ensemble, prêté serment ensemble, été engagées comme collaboratrices ensemble, s'étaient associées ensemble. Mais celle-ci a décidé seule de quitter son mari. Non pour un amant mais pour respirer enfin. Au bout de dix ans. Tant pis si toute séparation est sauvage et tout divorce sordide. On verra si le spectre de la solitude est au bout du bout du chemin. Elle ignore encore ce que c'est que de rentrer de week-end et de s'apercevoir que personne n'a appelé. Que pendant quarante-huit heures nul ne s'est préoccupé de savoir si elle était vivante. Rien n'est cruel comme le mutisme du répondeur-enregistreur, inhumain car mécanique. Pour l'instant, elle jouit d'une forme inédite de bonheur. Trop tôt pour qu'elle ait la sale impression d'être sur le marché. Il est vrai qu'elle vient juste de franchir le Rubicon, sa fille sous le bras. S'apprête malgré tout à retrouver des habitudes de quasi-célibataire. Elle est rayonnante. Son parfum : celui de la liberté retrouvée. Son audace et son indépendance, fussent-elles passagères, ont quelque chose d'insolent. C'est peu dire que les autres les lui envient. D'autant qu'elles voient désormais en elle une vraie rivale. Si toutes sont plus ou moins disponibles dans leur tête, elle l'est plus encore.

L'Homosexuel. Sait qu'on le sait et s'en fiche tant que nul n'a l'indélicatesse de le rappeler comme on pointe une maladie honteuse. Fût-ce allusivement. Ce serait pire, car rien ne meurtrit en profondeur comme l'insinuation. Ça rend suspect en général et coupable en particulier, même s'il n'y a pas de quoi. Ne fait pas son âge. Facilement dix ans de moins. Forcément, quand on se consacre à soi. A autant d'esprit que de caractère. Spirituel, ce qui se traduit par une certaine cruauté dans la peinture de ses contemporains. De ses longues années de clandestinité et d'opprobre, il conserve de vieux réflexes. Non la discrétion mais la nécessité impérative d'être inattaquable. Un des rares clients de sa banque à n'avoir jamais été à découvert. Un des seuls à n'avoir jamais eu maille à partir avec son inspecteur des contributions. Conservateur de musée, il prodigue également, en privé, conseils et expertises auprès des amis de ses amis. À ses heures, discrètement intermédiaire entre artistes et collectionneurs. C'est toléré par l'administration de la Culture. De toute façon, son goût de l'autodérision désamorce toute critique.

« Les traditions se perdent, confia-t-il à Rémi en se désignant du revers de la main. En d'autres temps, la maison des Forceville n'aurait pas invité un fournisseur à sa table. »

Revenu au départ de son tour de cadran, Rémi retomba sur le phénomène placé à sa gauche, si extraordinaire qu'elle était irréductible à un archétype et destinée à demeurer Le Phénomène. Il imagina un instant lui raconter qu'un chômeur était l'auteur du Livre de Job, mais elle ne l'entendait plus.

Certains accaparent la parole uniquement pour tromper leur ennui. Rémi préférait constituer sa galerie de jardin zoologique en empaillant chaque invité en secret. Si Victoria avait été là, où l'aurait-il classée ? Il n'aurait pas eu à le faire. Ni elle, ni les autres. Sa seule présence l'aurait dispensé de toute autre activité. Il n'aurait eu d'yeux que pour elle, n'aurait perçu que sa voix dans la rumeur, n'aurait guetté que son regard, tout en donnant l'illusion d'être de plain-pied dans la soirée. Si ému par cette vision radieuse, il aurait été adorable. Personne d'autre ne l'aurait atteinte du regard car il aurait tracé un invisible cercle de feu autour d'elle.

Victoria était inclassable comme peut l'être une femme qui aimerait mourir jeune mais le plus tard possible. Dans quelles ténèbres pouvait-elle bien se débattre ?

À l'examen, ces gens valaient probablement mieux que la caricature que Rémi s'en faisait, du moins certains d'entre eux. Il avait peut-être tort de ne même pas vouloir connaître leurs noms, ni les liens qui unissaient les uns aux autres. La chauve-souris est moins effrayante dès lors qu'on l'appelle pipistrelle soprane. Mais la vie est trop courte et le temps trop précieux pour qu'une chance soit donnée tout le temps à tout le monde. On n'a pas toujours le goût de déployer le réseau des incertitudes. Ces gens-là étaient ce qu'ils paraissaient être. Ou le contraire. On verrait cela éventuellement une prochaine fois. Il ne faut pas insulter l'avenir. Sait-on jamais...

Rémi considéra alors l'assemblée en toute humilité, admiratif des pouvoirs, puissances et influences réunis là. Sincèrement impressionné par le succès de certains convives, même s'il ne les enviait pas. Ils lui donnaient plutôt envie de vivre dans l'angle mort de la société.

Et il se demanda : mais qu'est-ce que je fous là ?

Le regard de Marie l'implorant de cesser de jouer le régulier dans un monde de séculiers lui apporta la réponse. Elle n'avait que ses yeux pour crier. Ils lui intimaient de sortir un peu de sa réclusion et de se mêler à la conversation car son absence commençait à peser. De le faire pour elle. Qu'on ne dise pas qu'elle avait épousé un prétentieux. Ou un imbécile. Ce qui revient au même. Ça tombait bien car il était prêt à quitter enfin le cloître. Mais pour la grotte. C'est alors que se produisit l'imprévisible. Le grain de sable qui dérègle le bon fonctionnement de la machinerie sociale, enraye le distributeur automatique de politesses, sourires et hypocrisies, et provoque l'émotion qui fait craquer la structure.

Le coup vint de loin. Il allait lui faire l'effet de ces balles qui poursuivent leur course longtemps après avoir été tirées. Il vint du Bronzé. On ne se méfie jamais assez des gens qui ont trop bonne mine. Les dentistes, désormais techniciens en blanchiment, invitent à se garder d'un sourire trop éclatant pour être honnête. Chez celui-là, il n'aurait accepté de dîner qu'à condition que l'hôte goûte les plats avant. Forcément, quelqu'un qui part en week-end même en semaine. De l'autre bout de la table, il interpella Rémi. Sans doute n'avait-il pas digéré d'être exclu de sa complicité d'un instant avec L'Aristocrate, lequel se trouvait être l'un de ses gros clients. Que tous les autres le fussent, soit. Mais pas lui.

« Et si l'on demandait à notre homme des cavernes ? lanca-t-il dans sa direction. Vous permettez, mon cher

Rémi ? Nous parlions de l'incroyable développement du créneau Cro-Magnon. Très porteur, à ce qu'on dit. La commémoration ne suffit plus. L'air du temps est à la frénésie de la reconstitution. Les Français cherchent désormais les racines de leurs racines. Ça vous dirait de nous aider à créer un Son et Lumière en Dordogne, avec boutiques à la sortie de la grotte virtuelle, toute une gamme de produits à base de silex, des posters de l'abbé Breuil en pionnier de la recherche, et ne nous dites pas que cela vous choque, car on ne sache pas que vous l'ayez été par la création de kotelkam.com, mais si, vous savez bien, le site qui permet d'envoyer des messages au mur des Lamentations, et même d'y faire introduire des e-mails, alors Jérusalem et le Périgord, c'est pareil, pas d'indignation à géométrie variable… »

Une telle charge, si intense en non-dits, et si dense en procès d'intention, était tellement inattendue que Rémi en resta coi. Sa bouche s'ouvrait mais n'émettait aucun son quand une repartie percutante s'imposait. Il sentit le rouge lui monter au visage, tandis que les regards se tournaient vers lui. Mais certains le dévisageaient curieusement. Quelque chose de pas franc dans l'expression.

Peut-être savaient-ils. La rumeur de sa double vie avait pu dépasser le tout premier cercle de leurs relations pour s'étendre au-delà en cercles concentriques. Il les regardait et ne lisait que le soupçon dans leurs yeux. Cette immonde pointe de suspicion que l'on fuit d'autant plus qu'elle est insinuante. Lui revint alors comme un flash qu'à la cantine de l'Institut, parfois, il entendait murmurer le mot « parano » dans son dos et que ça l'exaspérait.

Une humiliation scolaire, voilà ce qu'il ressentait, car

depuis ses jeunes années, il n'avait rien subi de tel en public. S'il avait pu disparaître sous la table, creuser un souterrain à la cuillère à café avec la certitude de rejoindre le Salon noir de la grotte de Niaux, il l'aurait fait. Il hésitait encore entre se taire lâchement, bégayer une réponse qui ne serait certainement pas à la hauteur de la situation et reprendre l'offensive en mettant les pieds dans le plat, quand L'Homosexuel, à sa droite, lui effleura la main et, affectant une voix de grand sage, murmura à sa seule intention en s'inclinant vers son oreille :

« Le Titien aboie, le Caravage passe... »

Il n'en fallut guère plus pour ramener le sourire sur le visage de Rémi et détendre l'atmosphère. Les bavardages reprirent bon train avec l'entrée en scène d'un sabayon en son coulis. Quand la conversation roula sur l'astrologie, il plaisanta en se disant Aurochs ascendant Bison. Il osa même glisser qu'il faisait ses courses exclusivement chez Mammouth, preuve qu'il mettait une certaine bonne volonté à ne pas s'exclure totalement de la soirée. Mais, à l'autre bout de la table, Le Bronzé guettait encore son heure. Il expliquait à son coin, mais de manière suffisamment forte pour que tout le monde en profite, les excentricités que l'on rencontre quotidiennement dans l'univers du virtuel. On y croise même des gens qui mettent leur âme en vente aux enchères.

« Tenez, mon petit avocat séfarade, par exemple, vous connaissez sa pugnacité, eh bien, vous n'imaginez pas ce qu'il essaie de faire passer depuis une semaine. Il est inouï. Pensez donc qu'il fait le siège du bureau de l'état civil, à la mairie de Neuilly, pour obtenir de nommer son dernier fils Nasdaq. Ils ne veulent rien savoir ! Ce n'est pas dans le calendrier, pas encore ! Vous verrez qu'il les aura à l'usure, ce qui ne serait pas étonnant, quand on y songe... »

Et de partir dans un grand éclat de rire, entraînant à sa suite une partie de l'assemblée, consentante par courtoisie plus que par enthousiasme.

« Je ne vois pas ce que ça a de drôle, trancha Rémi d'un ton neutre et froid, le masque impassible.

— Eh bien, vous êtes le seul, fit Le Bronzé un ton en dessous.

— Pourquoi avez-vous dit "mon petit avocat séfarade" ?

— Parce qu'il l'est, tout simplement, répondit l'autre. Inscrit au barreau de Paris et j... israélite d'Afrique du Nord. Et c'est un bon, un très bon, un des meilleurs dans sa spécialité, croyez-moi. Alors, comment voulez-vous que je dise ? Et puis, ce n'est pas un cadeau de lancer un enfant dans le monde en décidant qu'il s'appellera Nasdaq Bénichou toute sa vie, vous ne trouvez pas, Rémi ?

— Mais pourquoi "petit" ?

— C'est une façon de parler, voilà tout. »

Des anges passaient en escadrille. Les hôtes tentaient de calmer l'orage qui grondait en faisant diversion. Aude Forceville relança la conversation en l'aiguillant vers l'influence des séries américaines sur les nouvelles tendances des prénoms en France. Quelqu'un fit remarquer que Nasdaq pouvait prêter à confusion car ça sonnait comme une insulte en arabe. À quoi un autre répondit que Nadine également, ce qui n'empêchait pas la prolifération des Nadine dans nos campagnes. Chacun s'agitait à nouveau. Sauf Rémi, qui glaça à nouveau l'ambiance :

« Je ne comprends toujours pas pourquoi "petit".

— Il n'est pas très grand, crut bon de préciser Le Bronzé en un sourire crispé.

— Vous savez bien que ce n'est pas la question. D'un autre, vous ne le diriez pas. Dans ce contexte, sur ce ton, c'est évidemment moqueur. Péjoratif. Donc méprisant. Votre phrase a mauvaise haleine. »

Alors Jean Forceville se pencha vers lui dans l'espoir de calmer le jeu :

« Voyons, Rémi, notre ami ne pensait pas à mal. Et puis nous sommes entre gens de bonne compagnie, n'est-ce pas... »

De petites gens, c'est cela qu'il aurait voulu répondre afin de tuer la soirée pour de bon, mais il n'avait pas abusé du pomerol, dommage, car l'expression lui restait non en travers de la gorge mais au bord des lèvres, prête à choir et à éclabousser. Il en avait assez du *small talk*, de ce minable racisme mondain et de cette bienséance qui poussaient des gens de qualité, parfois particulièrement brillants, à subir sans broncher pendant quarante-cinq minutes le récit d'un accouchement difficile dans une ambassade au Sri Lanka, ou les états d'âme de parents d'élèves. Mais non, ça ne se fait pas, il faut garder son rang, ou alors on ne sort pas. Mais si on sort, on ne dit pas que nous naissons tous entre la fiente et l'urine, même si saint Augustin l'a dit avant nous, non cela ne se dit pas...

« Certainement, dit Rémi au maître de maison. Mais quel besoin avait-il de préciser les origines de son avocat ? Cet air connu, je ne l'accepte plus, c'est fini, je ne joue plus le jeu. Et je n'accepte plus "petit". J'en ai assez de passer là-dessus. »

Une chape de silence s'abattit sur l'assemblée. Des

secondes qui parurent des heures. Nul ne voulait plus faire l'effort d'en sortir. Même L'Homosexuel et L'Aristocrate, ses alliés naturels dans les marges, solidaires par atavisme de minoritaires, ne savaient trop comment s'y risquer. En face de lui, légèrement décalée, Marie se morfondait en se rongeant les ongles. La réalité était là, sous ses yeux, mais elle n'avait pas assez d'imagination pour la voir. Elle se pencha vers Rémi, lui indiqua d'un signe de la main d'en faire autant, et grommela par en dessous, en serrant les dents de rage :

« Tu ne vas tout de même pas nous faire chier pour un adjectif ?

— Justement, si, lui dit-il sur le même ton. Des millions de gens sont morts pour défendre un bout de tissu. Un drapeau. Ou l'idée qu'ils s'en font. Tout ce que ça représente. Alors on peut bien se rebeller pour un adjectif. Celui-là ne passe plus, tu comprends ? Je ne transige plus...

— Mais tu te prends pour qui ?

— Je t'emmerde, toi et tout... »

Fort heureusement, ils ne s'entendaient plus. Les apartés des uns et des autres avaient à nouveau créé un brouhaha. De ce méli-mélo de sons émergea soudainement une violente petite musique. Rémi se sentit à nouveau harcelé par la maudite sonate qui bourdonnait dans sa tête. Il porta instinctivement ses mains aux oreilles. L'agression cessa d'un coup quand Le Phénomène plongea la main dans son sac et en sortit la machine infernale qui a anéanti jusqu'au souvenir du savoir-vivre, celle par laquelle les trottoirs sont désormais peuplés de fous en liberté qui parlent tout seuls en se tenant l'oreille, pour ne rien dire de ces pauvres hères qui vont par les rues un fil à l'oreille, la bouche tordue, on les sonne ils accourent, un valet est moins empressé dans la servilité, un téléphone portable. Sans s'excuser, sans même songer à s'isoler, elle s'exprima d'une voix de sourde :

« Je vous l'ai dit, Agapita, s'il tousse et se plaint des oreilles, donnez-lui un cachet de Diantalvic. Et son sirop d'Actifed, il l'a pris ? Vous n'écoutez pas, Agapita... À tout à l'heure. »

Elle raccrocha et enchaîna comme si de rien n'était :

« Ces Philippines, elles ne comprennent rien du premier coup. Remarquez, elles ne parlent qu'anglais. Mais ce n'est pas une raison. C'est comme celle des Klein. L'autre jour, après la fermeture du cabinet, ça a été toute une histoire. Je demandais Victoria et elle me passait Robert. Après, j'ai compris, et pour cause... »

Stupéfait, Rémi eut juste le temps de se ressaisir.

« Comment ? Vous connaissez les Klein ?

— Je vous en prie, le reprit-elle en le remettant aussitôt à sa place. Vous ne m'avez pas adressé la parole de la soirée, vous n'allez pas commencer maintenant.

— Mais pourquoi avez-vous dit... »

Trop tard. La maîtresse de maison était debout. Minuit passé de quelques minutes. Nul n'insista pour jouer les prolongations. Était-ce la perspective d'avoir à serrer des mains, notamment celle du Bronzé, toujours est-il que Rémi fut pris d'une telle nausée qu'il se réfugia dans les toilettes.

Quand il en sortit, le teint un peu plus blême qu'à son arrivée, les derniers invités partaient, bonsoir, merci d'avoir pu être des nôtres, c'était délicieux, ne laissons pas passer trop de temps avant de récidiver, bonsoir, bonsoir...

6

Près de la cheminée, Aude et Jean Forceville s'employaient à rassurer Marie tout en se servant un cognac. Quand Rémi les eut rejoints dans le petit salon, Jean le prit par le bras, lui donna d'autorité un verre de cognac et l'entraîna dans son bureau.

« Tu as tort de t'énerver comme ça, Rémi. Ça n'en vaut pas la peine. Et ça met cette pauvre Marie dans tous ses états.

— Je suis confus d'avoir gâché votre soirée, même si je ne regrette rien de ce que j'ai dit. N'y vois pas un orgueil mal placé...

— Orgueil ? s'interrogea son hôte. Le mot est mal choisi. Naïveté plutôt, si tu permets. Tu as toujours été idéaliste. Tu juges trop sur l'extérieur.

— Ça te va bien de dire ça !

— Mais qu'est-ce que tu crois ? Que je suis dupe des gens que je reçois ? Nous faisons tous partie du même spectacle. Tout cela est un jeu. J'aime autant faire partie de ceux qui donnent les cartes que d'être du côté de ceux qui les reçoivent.

— Si tu savais ce qu'ils pensent ou ce qu'ils disent de

toi, tu serais peut-être moins confiant dans le genre humain.

— Mais je le sais. Je le sais même parfaitement. »

Tant d'assurance intriguait Rémi. Le sourire en coin de Jean Forceville renforçait encore sa perplexité. D'autant que celui-ci quitta son fauteuil de cuir, ferma solennellement la porte du bureau en faisant doucement tourner la clé dans la serrure à la manière de celui qui prépare ses effets, tira les épais rideaux en daim et ne laissa allumée qu'une lampe de chevet sur un accoudoir.

« Je vais te montrer quelque chose qui va t'édifier. Je ne te demande pas de conserver le secret tant cela te paraîtra évident. De toute façon, je connais ta discrétion. Et si d'aventure tu y manquais, personne ne te croirait. Et puis la confiance crée une dette. Mais je suis sûr que tu ne diras rien. Ce ne serait pas dans ton intérêt. »

Que voulait-il insinuer exactement ? Peut-être se doutait-il de quelque chose. En s'engageant, Rémi avait le sentiment de faire un mauvais pas dans la bonne direction. Il brûlait d'envie de se reprendre. Mais il n'osait pas. Trop risqué. Jean était assez malin pour prêcher le faux afin de savoir le vrai. Que sait-on de ce que les autres savent de nous ? On en revient toujours là. Rémi, lui, n'en sortait pas. Surtout depuis la disparition de Victoria. Le rappel de son absence portait le fer dans la plaie, empêchant toute cicatrisation. Les galets de la baie des Trépassés ont la mémoire de tous les désespérés qui s'y sont fracassés.

Forceville appuya sur un bouton qui recouvrit aussitôt un Dubuffet d'un écran blanc descendu du plafond. Puis il ouvrit une armoire grillagée remplie de cassettes vidéo. Au centre, un espace avait été creusé pour accueillir un magnétoscope, un rétroprojecteur et toutes sortes de machines sophistiquées dont Rémi ignorait l'usage. De loin, il distinguait des titres familiers à tout honnête homme du septième art : *Les rapaces, La nuit du chasseur, La règle du jeu...*

« À première vue, une vidéothèque de classiques, n'est-ce pas ? interrogea Forceville.

— Ne me dis pas que ça cache des films X... »

Pour toute réponse, il reçut un haussement d'épaules.

« Non seulement tu juges trop sur la façade, mais ce n'est guère mieux dès que tu grattes. Tu te laisses piéger par les apparences alors que c'est ce qu'il y a de moins intéressant chez les gens. Tu connais François Mahé, tu as dû le rencontrer ici, quelle impression t'a-t-il fait ?

— Quelqu'un de plutôt discret, très posé, maître de ses émotions...

— Eh bien, chaque fois qu'il a dîné chez nous, la domestique a dû encaustiquer le parquet dès le lendemain à la place qu'il occupait. Il est tellement nerveux que pendant toute la soirée, sous la table, il gratte le sol à force de tordre ses pieds dans ses chaussures... Allez, cite un mois de l'année, au hasard...

— Janvier », s'exécuta Rémi.

Son hôte grimpa sur un escabeau en chêne, saisit une cassette dans la première rangée et la glissa dans une machine. Alors apparurent sur l'écran différentes vues de l'appartement des Forceville pendant ce qui ressemblait fort à une réception, toutes prises en plongée, qu'il s'agisse du vestibule, des couloirs ou des salons, à l'exception de la salle à manger filmée au ras de la moquette. Le montage était astucieux. La succession des plans racontait vraiment une histoire. Une manière de fiction cinématographique. À cela près qu'elle était réelle, et que les acteurs jouaient à leur insu. Rémi fut glacé d'effroi en revoyant certaines scènes.

La vision du vestibule le renvoya plusieurs mois en arrière quand, au cours d'une réception chez des amis communs, il avait retrouvé Victoria dans le vestiaire, au fond du couloir, puis soigneusement refermé la porte. En se jetant l'un sur l'autre, ils avaient renversé les montants et s'étaient vautrés sur le matelas de vêtements alors que de l'autre côté de l'appartement la fête battait son plein. Leur empoignade s'était produite dans un tel chaos qu'ils en avaient oublié toute prudence. Dans la précipitation, il lui avait déchiré son collant en l'abaissant juste à mi-cuisses, tandis qu'elle avait fait sauter deux boutons de son pantalon. Leur étreinte fut si soudaine et si brutale que Victoria ne songea même pas à réprimer ses cris. Des rires et l'écho d'une conversation se rapprochant dans le couloir les firent se redresser en un instant. Juste le temps de se réajuster, de se recoiffer à la hâte et d'effacer les traces de rouge à lèvres dans le cou de Rémi. Certains manteaux avaient dû conserver un souvenir précis de leur corps à corps. Une caméra également, qui sait ?

Désormais, Rémi ne croyait plus en rien et se méfiait de tout.

Après un bref arrêt sur image, Jean Forceville tripota sa télécommande, ce qui eut pour effet de focaliser sur les jambes des invités assis ce soir-là autour de la table, particulièrement sur celles de deux d'entre eux, qui ne cessaient de se frôler, de s'entrecroiser, de se frotter, avant que les mains ne s'en mêlent.

« L'envers du décor ! s'exclama-t-il comme s'il annonçait

un programme. C'est là qu'est la vraie vie. Là que ça se passe. Le reste n'est qu'illusion. Là on touche au nerf. À l'âme donc. Souviens-toi, l'homme n'est que ce qu'il cache, un misérable tas de secrets... Eh bien, on y est. Toutes ces cassettes, ce sont mes réceptions, filmées et montées, depuis des années. En plus du réseau de caméras, toutes les pièces sont sonorisées. Personne n'est au courant. Même pas ma femme. Elle s'empresserait de le répéter sous le sceau de la confidence à sa meilleure amie. Elle croit que j'ai fait installer un système de surveillance pour l'assurance des tableaux, alors que ce sont nos invités que je surveille. Dans la société d'aujourd'hui, il n'y a plus que deux catégories d'individus : les surveillants et les surveillés. J'aime autant être du bon côté. Tu ne dis rien, je te sens dubitatif, mais tu n'imagines pas à quel point c'est utile de savoir.

— Savoir quoi au juste ? risqua Rémi, assez éberlué par la projection très privée dont il était le spectateur privilégié.

— Eh bien, par exemple, ce que t'a dit à l'oreille, tout à l'heure, ton voisin de table, après t'avoir effleuré la main... Ça, c'est plutôt trivial. Ne t'inquiète pas, le chantage n'est pas mon genre. Je suis ton ami, non ?

— Tout dépend ce que tu entends par là...

— Un ami, c'est comme un compte en Suisse : on n'a pas besoin de le voir, on a juste besoin de savoir qu'il existe. Donc tu n'as rien à craindre. Seulement il se trouve que, dans mon métier, on n'en sait jamais assez. Une information exclusive et inédite, ça peut me faire gagner une affaire, surtout si la partie adverse l'ignore. Alors savoir qui est avec qui, qui couche avec qui, c'est utile. Et puis il y a les regards, les conversations particulières qui échappent au babil général de la table. Tu peux en capter une parfois, deux au maximum, mais pas les autres. Alors que, grâce à mon installation, elles sont toutes enregistrées et je peux les écouter à loisir.

— Ça te renseigne certainement sur eux. Mais sur toi ?

— Il suffit de demander. »

Il accéléra le film jusqu'à la fin. Puis il fit un arrêt sur une image du moment où les derniers invités repassaient le seuil de leur appartement après les avoir salués. Une bande audio se déclencha et on entendit, dans une acoustique assez mate, sur un lointain fond de roulements hydrauliques, des commentaires, brefs mais distincts, des jugements abrupts, d'autres plus nuancés, sur le prétendu bouchonnage d'un vin, la tenue indécente d'une invitée, le plan de table, les propos d'Untel...

« C'est fou ce qui se dit dans un ascenseur, affirma Jean Forceville en connaisseur. Écoute, écoute... Ça, c'est une femme qui passe un savon à son mari parce qu'elle l'a trouvé particulièrement nul à table... C'est comme la salle d'attente située juste après la douane, dans un aéroport sensible. Les gens sont si heureux d'être passés qu'ils en oublient toute prudence. Or c'est justement là que les grandes oreilles les écoutent. Là qu'on se fait pincer. Quand on commet l'erreur de se déballonner trop tôt. »

Médusé, Rémi était incapable de réagir autrement que par une moue admirative. Tandis que son ami rangeait prestement son matériel, il arpenta les pièces principales de l'appartement en essayant de repérer l'œilleton et le micro indiscrets dans les coins et les interstices. Même les lampes halogènes étaient truffées de caméras miniatures, intensificateurs de lumière, projecteurs à infrarouge, radars... En toisant le portrait d'ancêtre, celui-là même qu'il avait investi d'une si grande perspicacité sur les enjeux de la soirée, il ne put s'empêcher de lui caresser le visage comme s'il voulait lui fermer les yeux. Jean Forceville, qui l'avait rejoint dans la salle à manger, se planta en face de son aïeul, les mains dans les poches, les jambes légèrement écartées en signe de défi, et il interpella Rémi :

« Tu crois qu'il sait tout parce qu'il voit tout et qu'il entend tout. Pourtant il en sait moins que moi. Car moi, je sais même ce qui se dit chez les autres. Tu as remarqué John, le Sri Lankais en blouse blanche qui nous sert à table et qui a préparé le dîner ? Il fait des extras chez tout le monde. Très demandé, John. Tout le monde le croit indépendant. Je l'ai salarié et il me raconte tout ce qui se raconte ailleurs. »

En arrivant à ce dîner, Rémi en était encore à se demander : mais d'où vient l'argent ? En repartant, la question qui le taraudait depuis toujours était balayée par une autre qui s'imposait sans mal : qui surveillera les surveillants ? Il se retourna une dernière fois vers son ami :

« Mais Jean, et la vie privée ?

— Privée de quoi ? »

Quand ils prirent congé, à peine la porte de l'ascenseur se fut-elle refermée que Marie lui lança un regard noir qui annonçait un paquet de boue. Alors Rémi lui mit fermement la main sur la bouche et l'empêcha de s'exprimer avant qu'ils n'aient atteint le rez-de-chaussée. Sans explication.

Dans la voiture, il subit en silence un torrent où les reproches se mêlaient aux injures. Rien ne lui fut épargné. Marie ne parlait pas, elle déglutissait. Tout y passa : la fierté des Laredo, le sentiment de supériorité intellectuelle que leur fils en avait conçu, la médiocrité matérielle qui s'ensuivait, la mélancolie transmise de génération en génération telle une fatalité génétique, son égoïsme et sa misanthropie avérés, son obsession pathologique des souterrains... Heureusement que le trajet était bref. Sinon il aurait sauté en marche.

Cette nuit-là, Rémi repassa dans sa tête le film de tous ses dîners chez les Forceville depuis deux ans. Juste pour essayer de se souvenir s'il y avait été en même temps que Victoria, et ce qu'ils avaient fait de leurs jambes, de leurs mains. Et de leurs regards.

Mais qu'est-ce que cela pouvait encore signifier que d'être libre dans ce nouveau monde où chacun était traçable ? Partout, ils avaient été suivis, observés, épiés. À l'extérieur comme à l'intérieur. Dehors comme dedans. Ce qu'ils avaient cru intime devenait extime à leur insu. Eux comme les autres. Nous sommes tous ciblés. Plus d'anonymes dans un univers où chacun est fiché. Sauf que Rémi était désormais payé pour savoir que l'ère de la dissimulation était révolue. Le siècle qui s'annonçait avait déjà fait une victime. La vie privée.

À la suite de ce dîner, les Laredo passèrent plusieurs jours sans s'adresser la parole si ce n'est pour des raisons de stricte nécessité. Incroyable comme on peut réduire les échanges à moins que le minimum quand on en a envie. Quelques mots à peine. Pourtant Rémi brûlait d'interroger sa femme après avoir découvert dans le courrier du matin une contravention dont la date et l'heure l'intriguaient. Il les avait parfaitement mémorisées car, ce jour-là, Marie ayant prévenu qu'elle passerait la journée dans le sud de la France pour une plaidoirie, il avait dû bousculer son emploi du temps afin d'accompagner au judo le petit Paul, et d'aller chercher à la garderie l'enfant d'une voisine ; il avait même été frappé de constater qu'une caméra était discrètement fixée tout en haut du réverbère faisant face à la porte d'entrée, probablement pour surveiller les pédophiles, familiers de ces lieux. Or le procès-verbal indiquait bien que la voiture de Marie était en stationnement irrégulier rue du Général-Castelnau, dans le XVe arrondissement. De Paris. Tout l'après-midi. Ce jour-là. La presser de questions, même sans la harceler, serait, dans un contexte aussi tendu, voué à l'échec. Il n'en conserva pas moins la contravention dans un tiroir de son bureau à l'Institut. Pour plus tard.

Le vendredi matin, sur la table de la cuisine, entre les toasts, il trouva un mot de la main de Marie :

« Je te rappelle que demain nous déjeunons chez mes parents à Bois-le-Roi. »

La campagne, il avait bien la tête à ça. Là ou ailleurs, ça n'avait plus guère d'importance. Paris et sa banlieue s'étaient tant et tant étendus ces vingt dernières années qu'ils avaient rattrapé les champs et annexé des villages autrefois charmants. Cette campagne-là n'était déjà plus qu'un souvenir. De toute façon, ses rapports avec ses beaux-parents étaient si respectueusement distants que ça ne pouvait pas être pire. Entre eux il ne se passerait jamais rien. Pas un éclat, pas le moindre différend, hélas.

Rémi vécut bizarrement la fin de la semaine. À l'Institut, il avait le sentiment de flotter. Une nappe de brouillard l'entourait en permanence. Ses gestes étaient accomplis dans une sorte d'automatisme, et ses travaux exécutés de même. Ses interlocuteurs lui adressaient des regards étranges. Même leurs réflexions paraissaient bizarres dans leur bouche. En fait, tout prenait le masque de l'étrangeté.

Les messages sur son répondeur personnel étaient anodins, à l'exception de celui qui ne se voulait pas un message. Interminable et incompréhensible. Probablement quelqu'un qui possédait son numéro en mémoire et utilisait une oreillette sur son téléphone portable. Une fausse manœuvre, une touche effleurée par inadvertance et Rémi se retrouvait ainsi contre sa volonté à l'écoute indiscrète d'une conversation privée qui se tenait tantôt dans une voiture, tantôt dans la rue, tantôt dans un lieu public si l'on en jugeait par le tapis de sons à l'arrière-plan. Pareille expérience ne lui était pas inconnue. Mais, cette fois, il se prit au jeu, prêta l'oreille, se repassa la bande à plusieurs reprises. Parfois, il croyait reconnaître la voix de Victoria, parfois celle de Marie, parfois les deux se chevauchant, mais ce ne pouvait être ça, il était certainement victime de son état obsessionnel. Son hallucinose musicale fut entière quand une infernale petite musique de jour vint tout brouiller.

Dans les moments de grand doute, Rémi avait pour habitude de sacrifier à un rituel peu métaphysique. Il s'en allait pisser quelle qu'en fût son envie. Cela lui permettait, en outre, de vérifier l'état de son cher lambeau. De mieux en mieux, en fait. Après la résurrection, il ne tarderait pas à assister à l'assomption de la verge. Juste de quoi rassurer Marie.

Il se trouvait donc seul dans les toilettes réservées aux

hommes, au bout du couloir, devant le second des deux urinoirs de gauche, son préféré, on s'attache à ces choses-là, chacun ses habitudes, tripotant cette excroissance dont le spectacle, en action, ravit toujours son propriétaire si l'on en juge par l'intensité avec laquelle il la fixe dans ces moments sacrés. À dire vrai, il méditait la pensée profonde en vertu de laquelle l'homme a un problème entre les jambes. Il aurait pu tout aussi bien réfléchir à la situation morale de l'Institut car il n'est pas de meilleur reflet d'une organisation que l'architecture intérieure et l'état général de ses cabinets. On peut juger une société à l'ancienneté de ses sanitaires. Instruit par l'expérience, il savait même qu'on peut en attendre une photographie d'une grande acuité de son personnel. Il suffit d'observer les habitudes des uns et des autres.

Ceux qui se cachent maladroitement en ouvrant leur braguette tout en se collant le plus près possible de l'urinoir (au gymnase du lycée ils se déshabillaient déjà dans un coin et ils gardent encore leur maillot de bain au sauna ou sous la douche) et ceux qui sont si fiers qu'ils s'exhibent en se plaçant le plus loin possible de l'objectif. Ceux qui se lavent les mains avant et ceux qui se lavent les mains après, ceux qui le font avant et après, et ceux qui ne le font pas du tout. Ceux qui se saluent et ceux qui s'ignorent. Ceux qui sifflent et ceux qui chantent. Ceux qui sortent juste la pointe du prépuce du bout des doigts et ceux qui déballent tout à pleine main bien au-delà du nécessaire. Ceux qui la rangent précipitamment malgré les risques de pollution et ceux qui l'essuient soigneusement avec un mouchoir en papier préparé à cet effet. Ceux qui regardent à côté l'air de rien juste pour vérifier qu'ils sont dans la norme et ceux qui la secouent longtemps tant la dernière goutte les obsède. Il y a là des mystères qui demeureront à jamais inaccessibles à la curiosité féminine, des abîmes dont les femmes ne soupçonnent pas la profondeur, même si, de ce côté-là, elles ne sont pas en reste.

Pour s'être un jour réfugié en procédure d'urgence dans leurs toilettes, Rémi savait que l'analyse des lieux en dégageait une image tout aussi éloquente. Mais dans un autre genre. N'osant pas ressortir avant que le lieu ne soit entièrement déserté par ses occupantes, il avait passé près d'une heure, assis sur la cuvette, à les écouter à leur insu. C'est peu dire qu'elles usaient d'un langage obscène aux antipodes de leur attitude dès qu'elles foulaient la moquette des bureaux. Leurs conversations, qui semblaient exclusivement orientées sur les relations avec les hommes, ne relevaient pas vraiment de l'amour courtois. Dans une surenchère verbale d'une vulgarité inouïe, entrecoupée de rires gras à faire rougir un routier, il n'était question que de coups, de culs, de bites, de clitos, de tétons, de poils, de foufounes, de couilles, dans le meilleur des cas. Jamais il n'avait ouï un si joyeux déchaînement chez les hommes.

Rémi en était là de ses réflexions quand il crut percevoir un mince filet d'eau sur sa droite. Ce n'était pas de l'eau. Charles-Henri Goudchaux, le directeur administratif et financier de l'Institut, avait eu la même idée que lui. Dans ces moments-là, le nez face au mur en émail, il y a aussi ceux qui se concentrent sur la qualité de leur jet et, en eux-mêmes, se livrent à une analyse sauvage de leur urine, en étudient de chic la couleur, en examinent la composition, en déduisent la teneur en cholestérol. Et puis il y a les autres, qui ont l'indélicatesse d'engager une conversation au risque de vous couper vos effets car il est périlleux de commenter un arbitrage budgétaire sans que la miction en soit troublée. Les deux opérations ne semblent pas naturellement complémentaires. Une certaine audace est indispensable à qui veut conduire l'une au détriment de l'autre. Dans les deux cas, on risque d'en mettre partout. Rémi n'hésita pas longtemps avant d'emprunter une troisième voie. À peine ouvrit-il la bouche qu'instinctivement il se tourna un peu plus vers l'intérieur de l'urinoir en faïence de manière à dissimuler son étrange pièce d'anatomie.

« Tiens, Rémi... Saviez-vous qu'il n'est pas de meilleur endroit pour reconnaître un... antisémite ! Ça vous la coupe, hein ? Vous ne me demandez pas comment ?

— J'allais le faire... Comment ?

— C'est celui qui fait toujours pipi sur Jacob, jamais sur Delafon ! »

Cette fois, Rémi ne put s'empêcher d'accompagner d'un sourire le franc éclat de rire de son interlocuteur. On ne peut pas être toujours en guerre.

Alors qu'ils se lavaient les mains dans deux lavabos voisins, Rémi remarqua que Goudchaux avait fait un pas de côté et, les doigts encore pleins de savon, s'était baissé juste pour voir si, derrière les vantaux abritant les deux urinoirs de droite, il y avait d'autres présences que les leurs. Puis, tout en le regardant dans le miroir, il s'adressa à lui :

« Vous me paraissez fatigué depuis quelque temps. Pas de souci ?

— Non, non... Enfin, tant que l'affaire du barrage ne sera pas réglée, je ne serai pas tranquille.

— Bien sûr, bien sûr, mais je faisais allusion à des soucis d'ordre personnel. »

Comme Rémi répondait par une moue négative, il insista :

« Je ne voudrais pas me mêler de votre privée, chacun ses mœurs, mais vous devriez être plus prudent. Internet, *shtetl* planétaire, très bien. Mais tous ces sites sur les verges un peu bizarres, dans une maison comme la nôtre, ça fait désordre. Évitez-les à l'avenir, les gueules cassées du phallus, du moins dans le cadre du travail. Imaginez que quelqu'un de... disons... maladroit appuie sur la touche Imprimer et que ce soit diffusé dans les services avec votre nom de demandeur, hein ? Vous devriez peut-être prendre quelques jours de repos. Ce que j'en dis, c'est surtout pour vous, votre image ici. »

Ainsi, même ses connections sur la Toile n'étaient pas confidentielles. Pas plus que ne devaient l'être son courrier électronique, ses communications téléphoniques, ses messages, ses lettres... Tout remontait quelque part au sommet. Même les caresses furtives et les baisers volés dans l'ascenseur. Des employés étaient peut-être payés pour dresser des rapports sur chacun des collaborateurs de l'Institut.

Le directeur s'en alla, non sans lui donner une petite tape amicale en haut de l'épaule, à moins que ce fût un frôlement près du cou, hétéro *ma non troppo*, qui sait. Ce qui ne fit qu'ajouter à sa stupéfaction. Ils avaient passé un temps si inhabituellement long à se laver les mains que Rémi contempla les siennes, juste pour voir si elles n'avaient pas rétréci. Alors seulement, il perçut dans son dos des sons qui le glacèrent si intensément qu'il n'osa même pas se retourner pour identifier ce que le miroir ne pouvait refléter. Les bruits d'une serrure qu'on tourne, de la porte des cabinets qui s'ouvre doucement, de pas qui hésitent puis se précipitent vers la sortie. Ceux que produisent si distinctement des talons aiguilles sur des carreaux de faïence.

La journée s'était écoulée sans qu'il songeât à composer le numéro de téléphone de Victoria. Ce soudain détachement le surprit et l'engagea dans une dangereuse méditation. Plus il se considérait, plus il se voyait scindé en deux. D'un côté, un bloc de mélancolie, intérieurement secoué de chagrin à l'idée d'avoir perdu l'Aimée, qu'elle fût perdue pour tous ou pour un seul. De l'autre un homme marié et père de famille dont l'harmonie conjugale était menacée par une personne qu'il connaissait à peine, si tant est qu'il l'ait vraiment connue, et qui risquait de l'entraîner dans sa chute. Seule cette dichotomie était de nature à traduire les sentiments de l'ordinaire de ses jours.

Le déjeuner familial chez les Rabaut-Pelletier fut d'autant plus cordial que Rémi ne sortit guère de sa bulle. Son pilote automatique branché pour la journée, il était là sans être là. À l'heure de la sieste, quand les oncles et les cousins abandonnèrent le jardin aux enfants pour prendre le café dans la bibliothèque, Rémi s'associa naturellement à eux. Pour assister, à défaut de participer. La maison était suffisamment vaste pour que chacun y trouvât sa place. D'autant qu'une belle-sœur, portée sur l'écologie comme on peut l'être sur l'alcool, voulait absolument l'entretenir de la schizophrénie climatique qui s'était emparée de la planète, puisque les grandes catastrophes dites naturelles semblaient majoritairement réservées aux pays pauvres.

Pour faire bonne figure, il se joignit même au cortège quand le chef de famille décréta une promenade collective jusqu'au centre-ville. Lorsqu'ils passèrent devant l'église, une cérémonie de mariage venait de s'achever. L'esprit badaud l'emportant sur la raison, ils stationnèrent une dizaine de minutes sur le trottoir, témoins béats de la marche triomphale du nouveau couple de l'autel à la limousine. Les dragées pleuvaient, tout le monde criait « Vive les mariés ! » tandis que le chauffeur et les invités se lançaient dans un concert d'avertisseurs. Un tintamarre harmonieusement infernal, dont Rémi était la seule note discordante. Les mains en porte-voix, il hurlait :

« Ne faites pas ça ! Vous ne savez pas ce que vous faites ! Arrêtez tout ! »

Les autres, en face, convaincus qu'il ne supportait pas leur hourvari, en rajoutaient. Il insistait, de moins en moins fort au fur et à mesure que les passants le fusillaient du regard.

« C'est terrible, ce que vous faites ! Terrible... Le mariage, c'est l'horreur... »

Il fallut que son beau-père donne précipitamment le signal du départ pour que le groupe le fasse taire en l'emportant dans son mouvement de retour vers la maison. En chemin, nul n'y fit allusion, même s'il était évident que chacun ne pensait qu'à cela. Non pas le mariage, mais l'état de Rémi. Implicitement, ils mettaient ça sur le compte de son excentricité bien connue. Attitude un peu lâche mais tellement pratique. Ça évite de se poser des questions.

En cherchant des cigarettes dans le petit salon, il eut la surprise de tomber sur ses beaux-parents en grande conversation avec sa femme.

« Personne ne l'a jamais su ? »

La question de Marie, encore en suspens, demeura sans réponse. La rapidité avec laquelle elle trouva aussitôt un sujet futile, cet empressement à faire diversion dès l'arrivée inopinée de Rémi produisirent le contraire de l'effet escompté. Manifestement, il était traduit par contumace devant le tribunal familial. Du jugement de sa belle-mère, il n'avait rien à craindre. Non qu'il en méprisât la portée. Mais le fait est qu'en toute circonstance, dès que l'on mettait en doute son point de vue, elle déviait habilement le propos afin de mieux se retrancher derrière un « C'est dans la Bible » qui tuait aussitôt le débat. En revanche, instruit par l'expérience, les regards en biais et les insinuations, il avait tout à redouter de son beau-père.

Sans s'attarder, Rémi ouvrit la grande boîte à cigares en chêne qu'il lui avait offerte pour son anniversaire, s'empara d'un paquet de brunes légères, c'est-à-dire légèrement cancérogènes — l'agonie est plus lente. D'un même geste, avec un doigté d'une étonnante discrétion, il décrocha puis déplaça de quelques millimètres le combiné du téléphone qui se trouvait juste à côté. Puis il se retira prestement sur la pointe des pieds en multipliant les excuses. Mais au lieu de retourner au salon, il monta à l'étage, entra dans la chambre principale, referma la porte à clé et, téléphone à l'oreille, s'allongea sur le lit en se gardant bien de fumer. La conversation était devenue nettement moins anodine.

« ... Inquiétant, c'est le mot que je cherchais, disait Marie. Il m'inquiète. Depuis quelques semaines, je ne le reconnais plus. J'hésite même à lui faire des confidences sur mes affaires en cours. Manque de confiance. Incroyable, non ? Ça s'est tellement dégradé, jusqu'à l'apothéose, ce dîner de funeste mémoire où il a perdu les pédales. Je pense qu'il est capable de tout. Parfois il a des yeux de fou. Il se met à parler de lui à la troisième personne. Il peut passer des heures sans dire un mot à faire un puzzle avec les enfants. J'en suis venue à me poser des questions sur son état mental... Ça m'avait frappée il y a quelques années déjà. On était en week-end chez des amis, dans le Luberon. Piscine, tennis, scrabble. Un matin, il a disparu. On n'allait tout de même pas écumer toutes les grottes du pays d'Apt! Il avait été signalé dans des abris dans la région de Bonnieux. Finalement, on l'a retrouvé le soir près de Gargas, grâce aux indications des employés du conservatoire des pigments, dans une carrière interdite au public pour des raisons de sécurité. Il refusait de quitter les galeries souterraines. Il en est finalement sorti comme il y était entré. Sans rien dire à personne. On a su plus tard que d'importants stocks d'ocre avaient été trouvés dans des camps néandertaliens du Périgord, et que les hommes, jadis, s'en décoraient le corps au cours de rituels...

— Tu ne crois pas plutôt qu'il prend à cœur son affaire de barrage et que cela le surmène, tout simplement, suggéra sa mère.

— Cela m'étonnerait, dit son père. Marie a raison. Quelque chose ne va pas. Il n'est pas dans son état normal. À moins que son état normal ne surgisse enfin après nous avoir longtemps été dissimulé... On devrait exiger un casier psychiatrique quand on se marie.

— Là, c'est moi qui ne te suis plus, fit Marie.

— Tu sais bien que ton père ne l'a jamais aimé...

— Il ne s'agit pas de ça. En vérité, ton mari, je ne l'ai

jamais senti. Quelque chose de pas net en lui. Je ne t'en ai jamais parlé pour que tu ne croies pas à un acharnement de ma part. Et puis je voulais avant tout le bonheur de ma fille. Mais enfin, tu n'as jamais été intriguée par sa spécialité ?

— L'art préhistorique ? Ça ou autre chose, c'est tout aussi loufoque à mes yeux.

— Connais-tu seulement son parcours ? insista le père.

— De solides études d'histoire de l'art. Un doctorat avec félicitations du jury. Mais je ne vois pas où tu veux en venir.

— Tu n'es pas très curieuse vis-à-vis de ta moitié, reprit-il. J'ai eu l'occasion de parler de lui avec d'anciens camarades de la Sorbonne. Même si le département de lettres classiques est une ville dans la ville, tout se sait sur les autres sections. Ne jamais oublier que l'Université est un conservatoire de rancœurs et de haines recuites. Bref, à l'examen de son dossier, il s'avère que...

— Tu veux dire que tu es allé jusqu'à consulter son dossier personnel ? l'interrompit Marie.

— Moi ou un autre, peu importe. Tout finit par se savoir. On peut mentir à quelques personnes quelque temps, pas à tout le monde tout le temps, quelqu'un a dit quelque chose comme ça. Toujours est-il qu'il s'était spécialisé dans l'art français à la charnière des XVIIIe et XIXe siècles. Il fut loué haut et fort pour sa thèse sur l'évolution comparée des peintres issus de l'atelier de David. Des félicitations du meilleur augure. Une brillante carrière s'annonçait. Ses communications scientifiques paraissaient aussitôt à l'étranger dans les revues de référence. Il était sollicité pour intervenir partout dans le monde dans les plus grands colloques. Malgré son jeune âge, on lui prédisait pour bientôt une direction de recherches au CNRS, une chaire au Collège de France, un fauteuil à l'Académie française, que sais-je encore ! bref, un certain pouvoir sur ses collègues et quelques hochets de vanité. Et quelque temps après, on le retrouve au fond d'une grotte à décalquer des mammouths pour refaire inlassablement le geste de l'artiste. Étrange, cet engouement subit, non ? Il faut dire qu'il a trébuché par deux fois et qu'à chaque fois ses maîtres ont nourri quelque inquiétude non sur ses compétences mais... comment dire ? sur...

— Ses facultés, suggéra la mère.

— Disons-le ainsi... La première fois, c'était au dernier étage des Offices, à Florence, où il était en vacances, semble-t-il. Sueurs dans les bras des touristes, évanouissement dans ceux des gardiens, vertiges et tachycardie à la sortie, hospitalisation à Santa Maria Nuova. On n'a jamais su pourquoi. Le médecin qui l'avait accueilli en urgence au service de santé mentale appelait ça le syndrome de Stendhal. Un trop-plein d'émotions esthétiques à la suite d'une accumulation exceptionnelle de sensations artistiques. Pour dire les choses plus simplement, un triple phénomène de condensation : trop de beauté appréhendée dans un même endroit en un laps de temps réduit. Affaire classée parmi d'autres. Sauf que si le médecin a bien noté la grosse impression qu'avaient produite sur lui les salles 10 à 14, où l'on trouve les Botticelli, elle ne s'est guère attardée sur l'endroit même où il s'est effondré ; elle l'a considéré comme le lieu de l'accident alors que c'en était l'apothéose. Ça s'est passé dans la salle 25, celle de la haute Renaissance et du maniérisme, devant une des plus belles œuvres du Parmesan, *La Madone au long cou.* Cette vision l'a laissé plusieurs jours en état de sidération. Bref, il avait failli dans des conditions suspectes. Un touriste peut se permettre des vapeurs. Mais d'un spécialiste on attendait un peu plus de sang-froid, même s'il tient l'Italie pour une *cosa mentale.* Un historien d'art ne peut se permettre d'être un voyageur sentimental livré aux délices du Grand Tour, non ?

— Tu as toujours été si sévère vis-à-vis de lui, reprit la mère. Jamais la moindre indulgence. Il n'est pas comme nous, et alors ?

— Et la seconde fois, c'était quand ? demanda Marie, soudainement inquiète, de plus en plus tendue vers son père, les fesses en équilibre au bord du fauteuil.

— Sensiblement à la même époque. Devant le portrait de Mme de Senonnes, au musée de Nantes, où l'Université l'avait mandaté pour une mission. Je vous laisse imaginer ce qui l'a frappé dans la manière d'Ingres : un certain excès dans l'expression thyroïdienne du cou, qui en devient sérieusement gonflé, pour ne pas dire bombé. À croire que la seule vision de cette glande hypertrophiée peut susciter une pulsion incontrôlable. Le renflement de cette nuque émergeant d'une ruche à trois volants de dentelle, et reflété par un miroir, l'a anéanti. Ça l'a mis hors service pendant plusieurs semaines.

— Un accident du travail, en quelque sorte, dit Marie comme pour atténuer l'effet suscité par cette révélation.

— La Senonnes était sa Gradiva, poursuivit son père. A-t-il vu dans ce portrait une sorte de témoignage de l'inconscient ? Le rapport d'inspection fait état de son humiliation. D'une volonté forcenée de cacher sa honte. Il craignait par-dessus tout de sombrer dans un accès délirant et d'avoir un dossier psychiatrique. La société ne pardonne pas. C'est une casserole à vie. Même quand on contracte une assurance, on vous le ressort. Or, ça ne se savait pas, ça ne devait pas se savoir. Dans son esprit, il n'était pas tombé ; il n'avait pas failli, mais juste dérapé. À peine un vacillement de l'intime. Après, ça a été beaucoup plus loin. L'histoire aurait dû se terminer devant les tribunaux si… Une seconde, j'ai besoin d'un coupe-cigare. »

L'oreille collée à l'écouteur, Rémi entendit son beau-père se lever, se diriger vers la petite table, à l'entrée de la pièce, saisir un lourd objet, s'éloigner, puis revenir sur ses pas :

« Ces gosses, il faut toujours qu'ils touchent à tout… »

La ligne fut coupée. Rémi ne sut jamais ce que son beau-père savait d'autre sur lui, même s'il s'en doutait. Mais qu'est-ce que ces gens pouvaient bien comprendre à la mélancolie de l'art, au relief que cela donne au monde ?

Soudain, il sentit son âme ondoyer comme une méduse. En bousculant légèrement le combiné du téléphone, il avait à son tour basculé de l'autre côté. Jamais il n'avait été moins sûr d'être celui qu'il croyait être. L'absence de Victoria pesait chaque jour un peu plus. Elle qui se croyait le médecin, elle était la douleur. Elle lui faisait prendre conscience d'une réalité qu'il avait trop longtemps fuie : une vie ne lui suffisait pas.

La question de la fidélité ne se posait plus, au fond, que par rapport à lui-même. À son idée de l'amour.

Avant de rencontrer Victoria, du temps où il était encore en proie au vertige du cœur innombrable, il avait l'étrange sentiment d'être loyal. Le nombre annulait la faute, étant entendu qu'on ne peut aimer plusieurs personnes à la fois. Désormais renvoyé au délire de sa solitude, il n'hésitait plus qu'entre des vies parallèles et des vies successives.

À force de s'extraire de la réalité pour l'observer avec détachement, il avait vraiment fini par prendre ses distances avec une partie de lui-même. Depuis des semaines, son existence n'était plus que théâtre d'ombres. Rarement les frontières de son moi n'avaient été dilatées à ce point. Il s'était perdu en aventurier dans l'exploration des espaces du dedans. L'apaisement ne pouvait venir que du sentiment d'infini, ce sentiment océanique qui est ici-bas le plus proche de la sensation d'éternité, le seul qui fût de nature à le réconcilier avec ses ténèbres.

7

Une nouvelle semaine s'était écoulée depuis la disparition de Victoria. L'étau se resserrait sur Rémi. Du moins en était-il intimement persuadé, jusqu'à imaginer l'inspection millimétrée du parking par la police. Seule sa qualité de spectateur le faisait tenir. Il voulait voir. Que ne donnerait-on pour assister à son propre naufrage. Bien plus excitant que d'identifier les participants à son enterrement : on ne peut rien dire puisqu'on n'est pas censé être là.

Finie l'incantation à l'absente. Puisqu'il était impuissant à effacer les traces, il ne lui restait qu'à s'effacer. S'enfuir de tout et de tous. Se soustraire enfin. Si c'était une forme de mort, elle n'était que sociale. Sa vie n'était plus digne de lui.

Tout dépendait désormais du tact des enquêteurs. Au premier signal d'alarme, il disparaîtrait par étapes en évitant les catacombes et les égouts. Les unes trop évidentes, les autres trop nauséabonds. Restaient les anciennes carrières de gypse, dans le nord de Paris, des dizaines et des dizaines de kilomètres de galeries sous des voûtes en forme d'ogive, fréquentées par des ingénieurs en cas de glissement de terrain. Ensuite le grand saut hors du monde, là où le soleil est toujours obscur, dans l'une de ces grottes où les premiers hommes se rendaient non pour vivre mais pour trouver un contact avec le monde surnaturel. Il se serait alors faufilé dans d'étranges tunnels au profil en trou de serrure pour aboutir à des galeries de tableaux sacrés dont il aurait été l'unique visiteur, le spectateur privilégié d'œuvres d'art dotées de la plus haute des vertus, l'anonymat absolu. Qui l'a fait ? Des gens, il y a longtemps. Les premières gens.

C'eût été à Lascaux peut-être, là où il n'allait jamais, exprès. Il avait toujours réussi à éviter les missions sur le site. Lascaux lui faisait peur : la profusion de beauté artistique y est telle qu'on ne se trouve pas devant mais dedans les œuvres. On est cerné de toutes parts. Ailleurs c'est dispersé, ici c'est concentré. Comme à la galerie des Offices.

À l'issue d'un boyau, sa lampe à carbure ajouterait à l'hallucination et ferait danser les ombres mouvantes des cerfs élaphes sur les parois. Puis il basculerait définitivement en se faussant compagnie dans le scintillement des concrétions. Les mains négatives ocre et noires, apposées sur la roche pour rejoindre le monde des esprits, constitueraient l'ultime trace d'humanité, une signature surgie du fond des âges. Alors il traverserait le voile de calcite pour rejoindre les puissances occultes. Ce point de non-retour serait son vrai passage de la ligne, cette vision qui nous hante et nous aimante à en mourir.

Au risque de ne pas revenir d'un tel vertige, il y aurait au moins vu, en trouant du regard la crasse des siècles, le fameux outre-noir qui s'adresse directement à l'âme, cette couleur proche de la lumière des ténèbres. Il aurait trouvé ce qu'il cherchait confusément, une explication du monde, lui qui n'avait eu de cesse d'en désadhérer.

Là, à l'écoute des rumeurs d'éternité, il connaîtrait enfin le silence.

Trop lourd de garder secrète une vie secrète. Ce souterrain creusé en lui n'avait pas fait qu'exténuer son corps devenu inhabitable. Il lui avait dévasté l'âme. Elle n'était plus qu'un labyrinthe troué d'alvéoles. Il aurait tant voulu pouvoir parler d'elle. De sa vie. De leur double vie. À eux deux, ils en avaient quatre.

Une chose était sûre : Victoria ne s'était pas donné la mort, comme on dit — à croire que c'est un cadeau. Un avis de décès aurait paru dans le journal. Si au moins il recevait une lettre d'elle. Ne fût-ce qu'un mot, un signe même, mais non. Les jours passaient, sans rien, et il n'y avait personne à qui demander. Trop délicat, trop risqué, trop dangereux. Nul ne devait établir le moindre rapport entre lui et elle. Une question aurait suffi à instiller le doute, un doute aurait suffi à créer un bruit, un bruit aurait suffi à accréditer une rumeur, une rumeur aurait entraîné sa perte. En se perdant, il perdrait sa femme, ses enfants, sa famille, ce précaire équilibre qui le préservait de la plus mortelle des solitudes.

Tout avait été soigneusement passé au peigne fin par ses soins. Tout ce qui pouvait l'être. Un seul lieu avait été oublié : celui dans lequel ils avaient vécu le plus de temps. Un oubli… Fallait-il qu'il fût scotomisé.

L'ami qui lui en laissait la jouissance en échange de menus services (soustraire le courrier à la curiosité des voisins, aider les fleurs à survivre...) était peut-être rentré d'Asie. Rémi décrocha le téléphone de son bureau puis, mû par un réflexe désormais naturel, il raccrocha aussitôt, sortit et traversa la rue jusqu'à la première cabine. Il glissa sa carte de crédit téléphonique dans la fente et composa le code confidentiel. Ce n'était pas le bon. Soudain il eut un trou de mémoire. Tenta en vain une nouvelle combinaison. Au troisième essai sa carte était obsolète. Les puces ne pardonnent pas. L'émotion des derniers temps avait été telle que non seulement il avait oublié son code personnel, mais il avait également oublié où il l'avait inscrit.

Tout était désormais si secret que ça l'était même devenu pour lui.

Résolu à acheter une simple carte de cinquante unités, il se précipita au distributeur automatique de billets de la banque la plus proche. *Bis repetita.* L'esprit encombré de chiffres alignés dans un profond désordre, échafaudant sur le papier mille et un agencements dans le fol espoir de trouver le bon, il renonça, dans un état de délabrement moral avancé, et se rendit sans prévenir dans une rue perdue du XIe arrondissement. Ses pas le menèrent naturellement à un studio ensoleillé au tout début de la rue Gerbier. Les codes d'accès de cet immeuble modernissime, donc paranoïaque, qui n'en comptait pas moins de trois, chacun doublé par une caméra, étaient même connectés dans la journée. Les chiffres de sa carte de crédit, qui lui revinrent alors, s'imposèrent à l'exclusion de tous les autres. Il était mûr pour s'asseoir sur le banc et pleurer doucement, ce qu'il aurait fait si une voisine, rentrant des courses, ne l'avait laissé pénétrer dans l'immeuble à sa suite sans pour autant le dénoncer à la police des mœurs ou à la brigade antiterroriste.

Les autres studios de complaisance, appartements de circonstance et refuges de hasard dans lesquels ils s'étaient aimés, leur avaient laissé de moins bons souvenirs, qu'il s'agisse du 113 rue de la Faisanderie, ou du 146 avenue de Malakoff, l'un et l'autre aussi froids, antipathiques et impersonnels que mal fréquentés. Cela aussi comptait, cette approche des lieux, même si, une fois entre quatre murs, rien d'autre qu'eux n'existait pour eux.

Rémi fit tourner la clé avec des précautions de cambrioleur. À en juger par le courrier coincé sous la porte, son ami tardait à regagner la France. Ça sentait la poussière et le tabac froid. Un parfum de cendres nimbait la pièce. Il l'arpenta, puis l'aéra en entrouvrant la jalousie de la fenêtre latérale, et releva les draps du lit encore imprégnés de leur odeur. Les porter d'un même geste à son nez et ses lèvres le transporta aussitôt quelques mois en arrière.

Machinalement, il les enfouit dans un grand sac de plastique bleu, avec ce qui semblait traîner là par hasard mais qui, une fois rassemblé à ses pieds, constituait une vanité où la mort n'avait pas besoin d'être représentée pour triompher des autres éléments. De vieux journaux froissés d'avoir été repliés à la hâte, de grandes feuilles à dessin remplies de maladroites esquisses de chevaux barygnates jaunis par le soleil, des paquets de cigarettes à moitié vides, une boîte de sachets de thé, des lettres tenues par un gros élastique. Les seules qu'ils s'étaient écrites et envoyées sans jamais se résoudre à les détruire. Leur écriture, la trace absolue.

Rémi en déplia quelques-unes. Elles relevaient toutes du même rituel implicite, un code qu'ils avaient mis en vigueur dès le début sans qu'il fût nécessaire de l'établir. Pas de date, pas d'envoi, pas d'adresse. Toujours au présent, comme si l'abolition du temps conjurait le spectre de la rupture. Pas de signature sinon JT pour Je T'aime. En les parcourant à la hâte, il remarqua qu'il lui parlait autant de son corps qu'elle s'en abstenait, ce qui n'était peut-être pas étonnant. La lecture des dix-huit mille lettres de Juliette Drouet ne renseigne en rien sur le physique de Victor Hugo.

Autant de reliefs dérisoires d'une vie clandestine dont il croyait annuler la réalité en la gommant. Seuls les livres qu'ils s'étaient mutuellement offerts n'avaient pas à subir la destruction, bien qu'ils fussent des lettres ouvertes encore plus accusatrices, à qui savait les lire entre les lignes. Les disques survécurent également ; pourtant, l'un deux recelait leur hymne, mais qui saurait l'entrendre ?

Alors le téléphone sonna. Dans le vide. Puis à nouveau. Il avait cette tonalité particulière qui annonce l'infinie patience ou la tenace perversité de ceux qui peuvent écouter pendant des heures et des jours la sonnerie qu'ils ont provoquée. Les genoux sur les coudes et la tête entre les mains, tout en se massant le cuir chevelu avec une intensité à le faire saigner, Rémi le fixa du regard comme s'il représentait l'instrument du démon. Ça sonnait encore quand il referma la porte à clé.

Rémi déposa son sac au fond de la cour de l'immeuble dans la grande poubelle déjà pleine. Mais à l'instant de rejoindre la porte, il revint sur ses pas, remonta précipitamment dans le studio et, la porte encore entrouverte, appuya simplement sur les touches « rappel » et « haut-parleur » du téléphone. À la troisième sonnerie, tandis que sa boussole intérieure s'affolait, une voix humaine répondit :

« Bonjour, cabinet du docteur Robert Klein... »

Rémi arracha le fil d'un coup sec et violent, emporta le téléphone et lui fit rejoindre les ordures. Pris de remords, il plaça le sac bien au milieu de la cour déserte avant de le transformer en brasier. Une allumette suffit. L'odeur de cramé devint vite insupportable. Sa silhouette s'éclipsait déjà parmi les passants de la rue quand lui parvint l'écho assourdi de fenêtres qui claquent mêlées aux cris des voisins.

Un coupable n'aurait pas agi autrement. Rémi Laredo savait qu'il n'avait pas, lui, perpétré d'autre crime que celui qu'on commet contre soi quand on veut tuer sa part d'ombre. Certains gestes, on ne peut les éviter lorsque la réclusion psychique devient une souffrance intolérable. Mais, cela, qui le sait car qui le voit? Seuls savent ceux qui ont le regard intérieur.

Son attitude était d'un assassin. Sauf qu'il n'avait tué personne sinon la marionnette en lui. De toute façon, on ne tue jamais. Tout juste raccourcit-on un destin, tout juste précipite-t-on un moment inéluctable, tout juste. Tout est dans la manière de le dire. L'infidèle, c'est toujours l'autre, le Sarrasin. Si l'inconscient est criminel, alors nous sommes tous coupables d'un crime que nous n'avons pas commis.

Au fond, il s'était peut-être inventé une histoire qu'il avait fini par prendre pour sa vie. On ne l'aurait pas cru. Il ne suffit pas de dire la vérité, encore faut-il qu'elle soit vraisemblable. Celle-ci tenait en six mots : tout est double, rien n'est simple. Tout de même, vivre consciemment selon son âme n'est pas donné à tout le monde.

Quand il rentra chez lui, Rémi fut accueilli par ses enfants. Il devait paraître si préoccupé depuis quelque temps qu'ils en avaient pris conscience, au point de le ménager et de l'entourer plus encore qu'à l'accoutumée. Ils lui firent fête et le menèrent aussitôt à leur chambre.

« Regarde, papa. Tu vas être content. Le puzzle, on a réussi à le finir sans toi. Le profil de l'homme, le visage de la femme. On a juste perdu deux ou trois pièces. Il reste à combler ce trou, là. On a cherché partout...

— Je vous les retrouverai », dit-il d'un ton rassurant en les embrassant sur le front.

Il les quitta précipitamment et se réfugia aux toilettes. Le dos au mur, il plongea une main dans la poche de son pantalon, et se laissa glisser. Assis sur les talons, tout en manipulant les pièces manquantes il laissa échapper d'étranges stalactites de ses yeux. Des larmes qui tombaient vers le haut.

Une femme sans cou, ça n'existe pas, ça ne peut pas exister. Un jour, le puzzle serait complet, la scène enfin vivante et la photo reconstituée. À une nuance près. La forme du cou ne serait peut-être pas tout à fait conforme à celle de l'image d'Erwitt mais qu'importe. Il n'y a pas de mal à achever l'œuvre d'un artiste. Le grand Bonnard lui-même, l'humilité faite homme, ne se rendait-il pas dans les musées et, dès que les gardiens s'éloignaient, ne sortait-il pas discrètement son petit matériel pour rectifier ses tableaux, une touche de couleur ici, là un modelé, s'autorisant jusqu'au bout un ultime repentir ?

Tandis que les enfants goûtaient dans la cuisine, il retourna dans leur chambre pour s'abandonner à la contemplation de ce baiser. Alors seulement il prit conscience que son sentiment de flottaison venait peut-être de ce que son étrange histoire s'inscrivait dans l'interstice entre nos deux siècles. Plus il scrutait l'ombre du Pacifique, au second plan, plus il était convaincu que tous les lambeaux de son autre vie avaient enfin déserté son Atlantide intérieure. Avec un crayon à mine de plomb, il rectifia le cou de la femme avant de combler le seul blanc du puzzle.

Tout avait surgi de l'image. Elle rendait enfin les vérités enfouies qu'elle recelait. Un autre monde allait en sourdre. Il n'en était plus à se dire que seule sa mort justifierait le silence de Victoria. Rémi se pensait guéri d'elle.

Quand il se parlait de Victoria, c'était déjà au passé.

De cet instant, ses bourdonnements à l'oreille disparurent. Sa blessure intime fut entièrement résorbée. La sonnerie du téléphone ne provoqua plus d'angoisse en lui. Ses proches le jugèrent enfin réconcilié avec lui-même. Sa vie reprit le cours normal.

Marie était rentrée sans bruit. Son baiser sur le front fut des plus tendres. Allongée sur le canapé tandis qu'il regardait un tournoi de jeu de paume à la télévision, elle avait manifestement envie de parler.

« Tu sais quoi ? dit-elle songeuse. Aujourd'hui, au cabinet, j'ai reçu la visite d'un couple de vieillards. Ils voulaient divorcer au bout de soixante-dix ans de vie commune, quelque chose comme ça. Incroyable, non ? Et quand je leur ai demandé pourquoi ils se décidaient seulement maintenant, tu sais ce qu'ils m'ont répondu ?

“On attendait que les enfants soient morts…” Je n’en reviens pas.

— Moi non plus. »

Puis elle évoqua la routine. Rémi l’écoutait distraitement tout en suivant son match. Mais il s’arrêta sur l’un de ses mots, le seul de ce flot de paroles qui retint son attention et le glaça d’effroi. « Gerbier », elle avait dit « gerbier ». Comment connaissait-elle son adresse secrète, celle où il avait régulièrement retrouvé Victoria pendant plusieurs mois ? Elle ne l’avait certainement pas prononcé par accident. Ce ne pouvait être un hasard objectif. Marie savait quelque chose. Hors de question de glisser là-dessus. Le doute l’aurait rongé toute la nuit.

« Comment as-tu dit ? Il y a un mot que j’ai mal compris…

— Gerbier ? Ça ne m’étonne pas. Dans notre argot, c’est l’avocat commis d’office. Ou le juge, ou le juré, c’est selon. Du nom de Pierre Gerbier, un de nos illustres confrères du temps de l’Ancien Régime, si tu veux tout savoir. Pourquoi ?

— Comme ça, dit-il en haussant les épaules. C’est quand, le procès ?

— Lequel ?

— Tu sais très bien de quoi je veux parler. L’affaire de ta vie, celle dont tu ne me dis plus rien même si tes yeux ne parlent que de ca depuis des semaines…

— Demain. Tu viendras ? »

Rémi jugea le moment inopportun pour lui poser la question qui le taraudait depuis des jours : que faisais-tu rue du Général-de-Castelnau quand tu étais censée être dans le Sud ? Pas le moment de rallumer des braises encore chaudes. On verrait plus tard, après le procès.

Il n'avait pas mis les pieds au palais de justice depuis longtemps. Depuis la fameuse affaire Blanc-Francœur qui avait véritablement lancé le cabinet de Marie et assuré sa notoriété. C'était un choix partagé depuis lors : on n'empiète pas sur le domaine de l'autre. Leur manière de préserver leur propre territoire intérieur. Chacun ses lieux : à elle les prétoires, à lui les grottes.

À l'heure de l'audience, il se tenait accoudé au zinc de la Brasserie des Deux Palais. Quand il n'y tint plus, il gravit les marches quatre à quatre. La salle était bondée, eu égard à la notoriété du client, un homme d'affaires à la réussite emblématique de l'époque. Il avait tout pour être heureux, sauf le bonheur. Car quand sa femme était heureuse, c'était dans les bras et sous le regard d'un autre. Son journal intime le hurlait à toutes les pages. Pour l'avoir lu, Rémi croyait intimement la connaître alors qu'il ne l'avait jamais aperçue que dans la rubrique « Les gens » des magazines.

Il se faufila tout au fond pour voir sans être vu. Les avocats échangeaient des arguments comme des coups. Ils semblaient s'envoyer le Code civil à la figure, du moins certains de ses articles. De dos et de loin, leurs amples silhouettes noires n'en étaient que plus impressionnantes. Il ne percevait que des bribes, mais suffisamment pour comprendre qu'on en était à faire la preuve de l'infidélité face aux exigences de protection de la vie privée et de la liberté individuelle. Il était question de la loi de 1975 qui avait transformé l'adultère en cause ordinaire de divorce, et d'une jurisprudence ayant écarté des lettres subtilisées, par le mari, donc obtenues par la fraude. Les débats prirent un tour littéraire inattendu quand Marie s'employa à présenter le fameux journal versé au dossier comme un document factuel, tandis que son confrère de la partie adverse en démontrait le caractère totalement romanesque. On passa même du registre de l'écrit intime à celui de la psychanalyse sauvage quand ils se prirent de bec sur la dimension fantasmatique des écarts amoureux rapportés par la diariste.

Marie fut atrocement éblouissante. Son habileté allait rendre payante la déloyauté entre époux. Plus sa plaidoirie s'éternisait, moins sa victime avait de chances d'obtenir la moindre pension alimentaire pour elle et ses enfants, alors que ses revenus propres étaient nuls. Quand on est marié, on a un droit de regard sur la vie privée de l'autre, et qualifier ce réflexe bien naturel de « traque » est une vue de l'esprit, expliqua-t-elle.

Jamais Marie n'avait lu un livre avec autant d'acuité qu'elle avait analysé ce manuscrit. Elle ne recula devant la lecture publique d'aucun passage, pas même les plus intimes, surtout pas les plus intimes. Les plus émouvants en regard du sentiment amoureux étaient également les plus accablants du point de vue du droit.

Elle emporta la conviction même quand elle expliqua que son client s'était fait remettre ce document, lequel n'avait donc pas été soustrait à sa propriétaire. Un témoignage de la domestique attesta qu'ayant découvert un dossier qui traînait dans la chambre conjugale, elle en avait naturellement conclu qu'il appartenait à Monsieur et le lui avait remis. Le journal avait donc été trouvé normalement par un tiers dans les affaires communes du couple, en un lieu dont ils avaient l'usage commun. Ni fraude, ni violence. La femme adultère eut beau faire valoir que son mari lui avait bel et bien subtilisé son journal, elle n'en apportait pas la preuve.

Car il s'agissait bien de cela : un conflit entre les exigences de la preuve et le respect de l'intimité d'une diariste. Entre les nécessités de la démonstration et les impératifs du secret.

Depuis longtemps déjà, la preuve par le journal intime était recevable dans les divorces pour faute. Chose plus rare, Marie se battait pour gagner en sachant qu'il constituait l'unique élément de preuve de la faute invoquée par le mari. Avec une mauvaise foi qui aurait dû susciter l'admiration de tous, elle expliqua qu'en raison même de son caractère exceptionnel, car il représentait le seul élément de conviction, il justifiait que l'on portât atteinte à l'intimité de son auteur. Et puisque les défenseurs de cette dernière n'avaient pu démontrer qu'il avait été obtenu de manière déloyale... Elle fit une arme de ce qui aurait été un talon d'Achille : l'absence d'autre indice des faits.

Rémi était autant abasourdi qu'admiratif. Comment n'être pas édifié par un tel épilogue ? Il ne lui gâcherait pas son triomphe. Il attendit dehors, sur les marches du palais, qu'elle apparût pour l'étreindre et l'embrasser en lui murmurant un discret bravo à l'oreille avant de la laisser filer à son cabinet afin de fêter la victoire entre semblables. Le client avait d'ores et déjà demandé à un grand traiteur de se tenir prêt.

Dès que Rémi rentra chez lui, sa première préoccupation fut de mettre du champagne au frais. L'accueil devait être à la hauteur de l'événement. Les enfants avaient été prévenus. Chambre rangée, devoirs terminés, baignoire vidée, tenue impeccable. En attendant le retour de Marie, il acheva la mise au point de la conférence « Du signe à l'indice, de l'hypothèse à la preuve : questions de méthode en art paléolithique » qu'il prononcerait bientôt au congrès de São Paulo. C'était sa manière de rendre intelligible l'inépuisable énigme du monde. La sonnerie du téléphone l'en arracha. L'un de ses amis de l'Institut :

« Tu ne regardes pas la télévision ? Allume-la tout de suite et regarde le journal de vingt heures, celui de la deuxième chaîne... »

Rémi appuya sur la télécommande tout en raccrochant. Jamais il n'aurait cru que l'influence du client de Marie justifiât jusqu'à la médiatisation de son divorce. Mais tant de choses lui échappaient qui passaient par le petit écran qu'il renonça de lui-même à toute explication pour mieux y guetter le visage et la voix de sa femme. En lieu et place de Marie, le directeur du projet du grand barrage apparut. Il annonca ce que Rémi redoutait depuis plusieurs jours. C'était fait : le site serait englouti. Le patrimoine culturel de l'humanité n'était qu'une vue de l'esprit face aux prétendues exigences du progrès. Alors que l'ingénieur rassurait le journaliste sur la pérennité des œuvres d'art et leur capacité à se conserver sous l'eau, Rémi éteignit et se replongea dans le texte de sa communication comme si de rien n'était. Comme si l'irrévocabilité de la décision entraînait dans l'instant son indifférence.

Le lendemain était un samedi. Les Laredo déjeunaient tranquillement chez eux. Cela n'était pas arrivé depuis longtemps. Pas dans une atmosphère si apaisée, une telle douceur de vivre. La lumière d'un printemps tardif s'insinuait discrètement à travers les rideaux. Les échos assourdis d'une pièce pour piano parvenaient de l'étage du dessus dans une infinie délicatesse. Le voisin avait finalement renoncé à sa fugue pour un impromptu. Les deux coups de la sonnette d'entrée parurent d'autant plus incongrus.

« Qui cela peut-il bien être, on n'attend personne, non ? » interrogea Rémi.

Le petit Paul mit aussitôt sa main sur sa bouche en affectant un air désolé.

« J'ai oublié. Ce matin, quand vous étiez aux commissions, un monsieur a téléphoné pour savoir si vous alliez manger à la maison...

— Mais tu ne dois pas répondre comme ça à n'importe qui ! le sermonna Marie.

— Il a dit qu'il était de la police. Dis, la police, on est obligé ? »

Rémi blêmit dans l'instant. Il regarda les siens. Son passé l'avait rattrapé sans même lui laisser le temps de mettre son plan à exécution. Il se dirigea lentement vers la porte d'entrée. Les silhouettes de deux hommes se détachaient dans l'encadrement. Après les salutations, l'un d'eux présenta une carte sur laquelle il eut juste le temps de lire le mot « Inspecteur ». L'expression de son visage reflétait un air entendu.

« Vous devinez le but de notre visite. Nous enquêtons sur la disparition de Mme Klein. Enfin, la disparition... Vous permettez ? »

Rémi les fit entrer. Ses forces venaient soudainement de l'abandonner. Ses jambes étaient en coton. Même les muscles de ses bras ne répondaient plus. Sa bouche s'ouvrait mais n'émettait aucun son audible. Incapable d'opposer la moindre résistance, il était prêt à se laisser emporter. La pression avait été telle ces dernières semaines qu'il ressentit cette intrusion comme une délivrance.

Alors qu'il s'apprêtait à tendre les mains pour être emmené et, qui sait, menotté, le plus âgé des deux inspecteurs passa devant lui comme s'il ne l'avait pas vu. L'homme se dirigea vers la salle à manger qu'il avait devinée au second plan.

Les enfants s'étaient levés à la suite de leur père. Seule Marie était restée à table. Immobile, elle semblait pétrifiée. Ses yeux étaient animés par une lueur d'une indifférence qu'on ne lui avait jamais connue. Ils n'imploraient ni ne déploraient. Leur vide était d'une intensité effrayante.

Quand il parvint jusqu'à elle, l'homme s'arrêta pour la fixer. On l'aurait crue envoûtée, non par ce policier à l'allure insignifiante, mais par ce qu'il représentait. Elle se leva enfin de sa chaise. Tout dans l'enchaînement de ses gestes trahissait la résignation. Le contraire de ce qu'elle avait toujours été. On devinait un secret soulagement et, soudain, une grande lassitude. Telle une automate, elle enfila sa veste, accrochée à la patère du vestibule, elle prit son sac et s'en alla, encadrée par les deux officiers de police.

Marie partit sans un mot sans un regard.

Composition Bussière
et impression Bussière Camedan Imprimeries
à Saint-Amand (Cher), le 14 décembre 2000.
Dépôt légal : décembre 2000.
Numéro d'imprimeur : 2497-004961/4.
ISBN 2-07-075498-7./Imprimé en France.